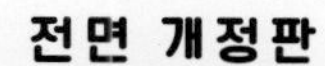

독해의 확실한 해결책

THIS IS READING

2

THIS IS READING 전면 개정판 ❷

지은이 넥서스영어교육연구소
펴낸이 임상진
펴낸곳 (주)넥서스

출판신고 1992년 4월 3일 제311-2002-2호 2-15
10880 경기도 파주시 지목로 5
Tel (02)330-5500 Fax (02)330-5555

ISBN 979-11-5752-770-0 54740
979-11-5752-768-7 (SET)

가격은 뒤표지에 있습니다.
잘못 만들어진 책은 구입처에서 바꾸어 드립니다.

www.nexusEDU.kr

전면 개정판

THIS IS READING

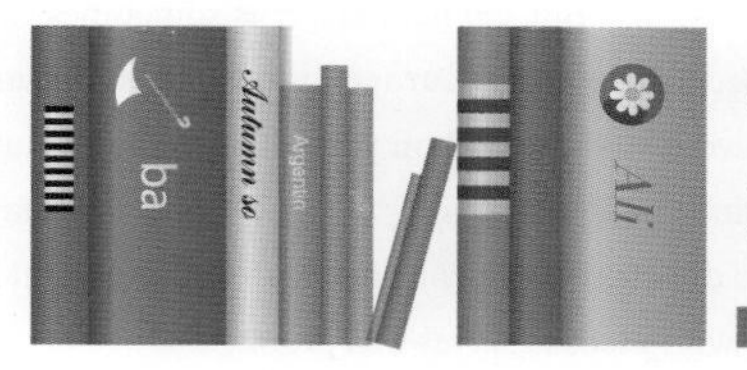

독해의
확실한 해결책

넥서스영어교육연구소 지음

2

NEXUS Edu

완전 새로운 전면 개정판 소개

1

누구나 관심 있고 흥미로운 소재의
다양한 지문을 실었습니다.

2

QR 코드를 스캔만 하면 책 전체
모든 지문을 생생한 원어민의
발음으로 들을 수 있습니다.

3

지문을 읽을 때 그때그때 꼭 알아야 할
필수 문법을 예문과 함께 정리했습니
다. 학교 내신 대비뿐만 아니라 모든 문
법 문제에 자신감을 키워 주는 필수 문
법입니다.

01 To Hold or Not

There are different ways to eat a hamburger. The hamburger can be seen as a sandwich using ground beef. As with the sandwich, the original intent is to eat it with the hands. But holding the burger while eating it can be messy. Of course, napkins are usually available.

But the hamburger is sometimes eaten with a knife and fork, especially in some European and Asian cultures. One practical reason is to avoid spilling food on your plate and on your clothes. That can be a great embarrassment and _________. Washing may not be enough, and expensive dry cleaning may be needed. And even that may not work. Eating a burger with utensils solves this problem.

(A) If the burger is small enough, holding it is not too difficult. (B) But if it is large with a lot of ingredients that may fall out, a knife and fork makes sense. (C) Some change their method depending on the size of the burger. Eating a food without creating a mess can be more important than following any custom. Besides, you might have an important meeting after the meal. Your clothes should look their best.

Grammar Note

2행 : 축약 관계대명사절

주격관계대명사가 이끄는 관계사절은 -ing/ -ed가 이끄는 형식으로 축약될 수 있음. 관계절이 [관계대명사+be동사]로 시작한다면 이 둘만 생략해서 간단히 만들 수 있지만 그렇지 않은 것들도 있음.

Jane was walking along the river leading to the ocean.
(=that leads to the ocean)
제인은 바다로 이어지는 강을 따라서 걷고 있었다.

Mark lives in a house overlooking the mountains.
(=that overlooks the mountains)
마크는 산들이 내려다보이는 집에서 살고 있다.

15행 : 분사형 전치사

분사형 전치사는 -ing/ -ed로 끝나서 분사의 모습을 가지고 있지만 전치사와 같은 기능을 함.

considering ~를 고려하면
concerning[=regarding] ~에 대하여
including ~를 포함하고
following ~에 뒤이어 바로
depending on ~가 좌우하는
according to ~에 따르면
given ~를 감안하면

Following the conference, snacks were served.
회의가 끝나고 바로 간식이 제공되었다.

10

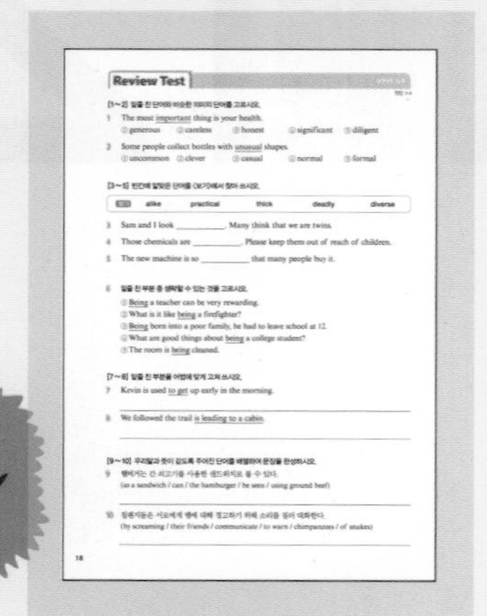

Review Test

1 The most important thing is your health.
① generous ② careless ③ honest ④ significant ⑤ diligent

2 Some people collect bottles with unusual shapes.
① uncommon ② clever ③ casual ④ normal ⑤ formal

alike practical thick deadly diverse

3 Sam and I look ________. Many think that we are twins.
4 Those chemicals are ________. Please keep them out of reach of children.
5 The new machine is so ________ that many people buy it.

6
① Being a teacher can be very rewarding.
② What is it like being a firefighter?
③ Being born into a poor family, he had to leave school at 12.
④ What are good things about being a college student?
⑤ The room is being cleaned.

7 Kevin is used to get up early in the morning.
8 We followed the trail is leading to a cabin.

9 (as a sandwich / can / the hamburger / be seen / using ground beef)
10 (by screaming / their friends / communicate / to warn / chimpanzees / of snakes)

18

ReviewTest

4개의 지문으로 이루어져 있는 각 UNIT이 끝날 때마다 문법, 어휘, 문장 배열 등 다양한 10개의 문제를 풀면서 한 번 더 복습합니다.

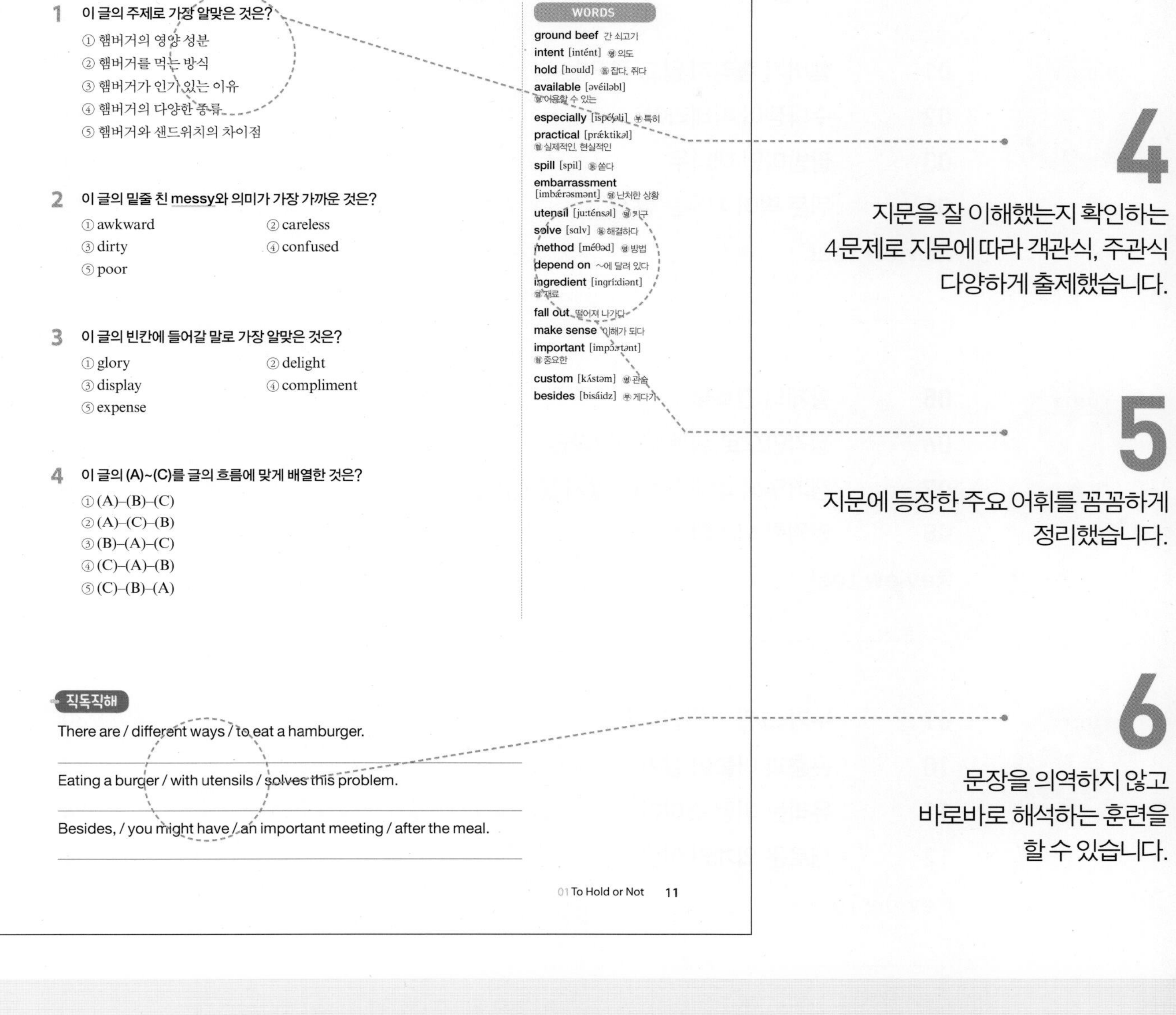

정답 p.2

1 이 글의 주제로 가장 알맞은 것은?

① 햄버거의 영양 성분
② 햄버거를 먹는 방식
③ 햄버거가 인기 있는 이유
④ 햄버거의 다양한 종류
⑤ 햄버거와 샌드위치의 차이점

2 이 글의 밑줄 친 messy와 의미가 가장 가까운 것은?

① awkward ② careless
③ dirty ④ confused
⑤ poor

3 이 글의 빈칸에 들어갈 말로 가장 알맞은 것은?

① glory ② delight
③ display ④ compliment
⑤ expense

4 이 글의 (A)~(C)를 글의 흐름에 맞게 배열한 것은?

① (A)–(B)–(C)
② (A)–(C)–(B)
③ (B)–(A)–(C)
④ (C)–(A)–(B)
⑤ (C)–(B)–(A)

WORDS

ground beef 간 쇠고기
intent [intént] 명 의도
hold [hould] 동 잡다, 쥐다
available [əvéiləbl] 형 이용할 수 있는
especially [ispéʃəli] 부 특히
practical [prǽktikəl] 형 실제적인, 현실적인
spill [spil] 동 쏟다
embarrassment [imbǽrəsmənt] 명 난처한 상황
utensil [juːténsəl] 명 기구
solve [salv] 동 해결하다
method [méθəd] 명 방법
depend on ~에 달려 있다
ingredient [ingríːdiənt] 명 재료
fall out 떨어져 나가다
make sense 이해가 되다
important [impɔ́ːrtənt] 형 중요한
custom [kʌ́stəm] 명 관습
besides [bisáidz] 부 게다가

직독직해

There are / different ways / to eat a hamburger.

Eating a burger / with utensils / solves this problem.

Besides, / you might have / an important meeting / after the meal.

01 To Hold or Not 11

4

지문을 잘 이해했는지 확인하는 4문제로 지문에 따라 객관식, 주관식 다양하게 출제했습니다.

5

지문에 등장한 주요 어휘를 꼼꼼하게 정리했습니다.

6

문장을 의역하지 않고 바로바로 해석하는 훈련을 할 수 있습니다.

Workbook

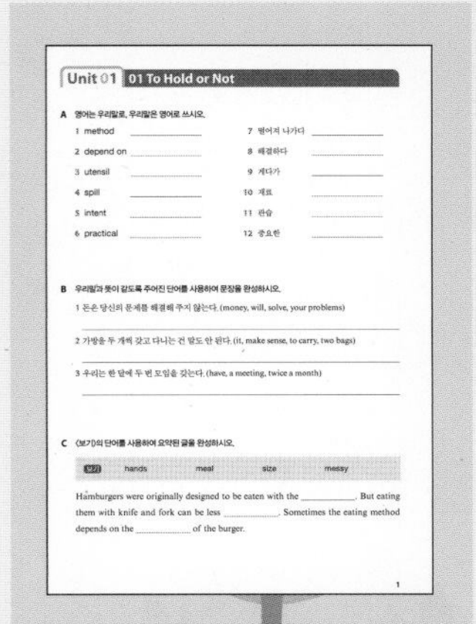

Unit 01 | 01 To Hold or Not

A 영어는 우리말로, 우리말은 영어로 쓰시오.

1 method ______ 7 떨어져 나가다 ______
2 depend on ______ 8 해결하다 ______
3 utensil ______ 9 게다가 ______
4 spill ______ 10 재료 ______
5 intent ______ 11 관습 ______
6 practical ______ 12 중요한 ______

B 우리말과 뜻이 같도록 주어진 단어를 사용하여 문장을 완성하시오.

1 돈은 당신의 문제를 해결해 주지 않는다. (money, will, solve, your problems)

2 가방을 두 개씩 갖고 다니는 건 말도 안 된다. (it, make sense, to carry, two bags)

3 우리는 한 달에 두 번 모임을 갖는다. (have, a meeting, twice a month)

C 〈보기〉의 단어를 사용하여 요약된 글을 완성하시오.

보기 hands meal size messy

Hamburgers were originally designed to be eaten with the ______. But eating them with knife and fork can be less ______. Sometimes the eating method depends on the ______ of the burger.

1

완벽한 마무리를 위한 워크북.
지문 요약, 단어 확인, 통문장 영작 문제를 풀면서 실력을 다집니다.

Contents

Fairytale
colours
Toys
Toys
ARTEMIS
colours
ZEUS
APHRODITE

01 UNIT

01 To Hold or Not

There are different ways to eat a hamburger. The hamburger can be seen as a sandwich using ground beef. As with the sandwich, the original intent is to eat it with the hands. But holding the burger while eating it can be messy. Of course, napkins are usually available.

But the hamburger is sometimes eaten with a knife and fork, especially in some European and Asian cultures. One practical reason is to avoid spilling food on your plate and on your clothes. That can be a great embarrassment and ________. Washing may not be enough, and expensive dry cleaning may be needed. And even that may not work. Eating a burger with utensils solves this problem.

Some change their method depending on the size of the burger. If the burger is small enough, holding it is not too difficult. But if it is large with a lot of ingredients that may fall out, a knife and fork makes sense. Eating a food without creating a mess can be more important than following any custom. Besides, you might have an important meeting after the meal. Your clothes should look their best.

Grammar Note

2행 : 축약 관계대명사절

주격관계대명사가 이끄는 관계사절은 -ing/ -ed가 이끄는 형식으로 축약될 수 있음. 관계절이 [관계대명사+be동사]로 시작한다면 이 둘만 생략해서 간단히 만들 수 있지만 그렇지 않은 것들도 있음.

Jane was walking along the river leading to the ocean.
(=that leads to the ocean)
제인은 바다로 이어지는 강을 따라서 걷고 있었다.

Mark lives in a house overlooking the mountains.
(=that overlooks the mountains)
마크는 산들이 내려다보이는 집에서 살고 있다.

13행 : 분사형 전치사

분사형 전치사는 -ing/ -ed로 끝나서 분사의 모습을 가지고 있지만 전치사와 같은 기능을 함.

considering ~를 고려하면
concerning[=regarding] ~에 대하여
including ~를 포함하고
following ~에 뒤이어 바로
depending on ~가 좌우하는
according to ~에 따르면
given ~를 감안하면

Following the conference, snacks were served.
회의가 끝나고 바로 간식이 제공되었다.

정답 p.2

1 이 글의 주제로 가장 알맞은 것은?

① 햄버거의 영양 성분
② 햄버거를 먹는 방식
③ 햄버거가 인기 있는 이유
④ 햄버거의 다양한 종류
⑤ 햄버거와 샌드위치의 차이점

2 이 글의 밑줄 친 messy와 의미가 가장 가까운 것은?

① awkward ② careless
③ dirty ④ confused
⑤ poor

3 이 글의 빈칸에 들어갈 말로 가장 알맞은 것은?

① glory ② delight
③ display ④ compliment
⑤ expense

4 사람들이 도구를 이용해 버거를 먹는 이유를 우리말로 쓰시오.

____

WORDS

ground beef 간 쇠고기
intent [intént] 명 의도
hold [hould] 동 잡다, 쥐다
available [əvéiləbl] 형 이용할 수 있는
especially [ispéʃəli] 부 특히
practical [prǽktikəl] 형 실제적인, 현실적인
spill [spil] 동 쏟다
embarrassment [imbǽrəsmənt] 명 난처한 상황
utensil [juːténsəl] 명 기구
solve [sɑlv] 동 해결하다
method [méθəd] 명 방법
depend on ~에 달려 있다
ingredient [ingríːdiənt] 명 재료
fall out 떨어져 나가다
make sense 이해가 되다
important [impɔ́ːrtənt] 형 중요한
custom [kʌ́stəm] 명 관습
besides [bisáidz] 부 게다가

직독직해

There are / different ways / to eat a hamburger.

____

Eating a burger / with utensils / solves this problem.

____

Besides, / you might have / an important meeting / after the meal.

____

02 Talkative Bacteria

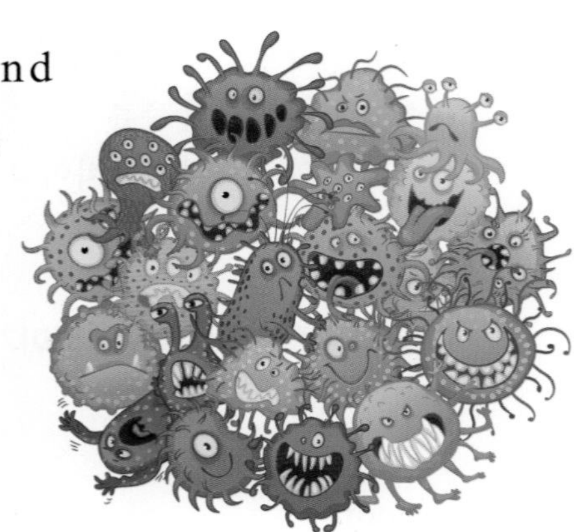

Birds communicate by singing and calling out to one another. Chimpanzees communicate by screaming to warn their friends of snakes and other dangers. But what about single-celled organisms such as bacteria? Can they communicate with one another? Most people think it is impossible.

Bacteria are very _________ organisms that can only be seen by using a microscope. They may not sound like an exciting thing to study, but they are to some scientists, particularly those who want to prove that all bacteria communicate with one another.

(A) While studying ocean bacteria, scientists discovered light-making bacteria. (B) When alone, it sends out a chemical signal to the other bacteria that says, "Hey, I'm over here. Come and visit." (C) Then, it listens for a response. (D) These signals are a conversation between nice, friendly and fun bacteria. (E)

But there are also dangerous bacteria that can communicate with one another. One type, called E. Coli, can make people very sick and even cause death. Once they begin communicating with each other, they multiply, which can be deadly for the human body. If scientists can figure out these conversations between bacteria, perhaps some illnesses can be cured or wiped out.

*E.Coli: 대장균

Grammar Note

13행 : 분사구문에서 being의 생략

분사구문에서 특별한 의미가 없는 being은 생략 가능.

When (being) a child, I was very shy.

나는 어렸을 때 수줍음이 많았다.

(= When I was a child, I was very shy.)

20행 : 앞 문장 전체를 가리키는 관계대명사 which

관계대명사 which의 선행사는 앞의 명사뿐 아니라 앞 문장 전체가 될 수도 있음.

My parents will be back tomorrow evening, which means I can have fun with friends all night long!

우리 부모님은 내일 저녁에 돌아온다. 즉, 나는 밤새 친구들과 놀 수 있다!

정답 p.2

1 이 글의 주제로 가장 알맞은 것은?

① 박테리아를 발견하는 방법
② 박테리아의 의사소통 능력
③ 박테리아를 연구하는 과학자들
④ 박테리아가 단세포 생물인 이유
⑤ 박테리아가 인간에게 이로운 점

2 이 글의 빈칸에 들어갈 말로 가장 알맞은 것은?

① tiny
② cute
③ healthy
④ regular
⑤ harmful

3 다음 문장이 들어가기에 가장 알맞은 곳은?

> When they are together, the bacteria communicate by glowing blue.

① (A) ② (B) ③ (C)
④ (D) ⑤ (E)

4 이 글에서 언급한 E.Coli에 대해 사실이 아닌 것은?

① 단세포 생물에 속한다.
② 사람들을 아프게 할 수 있다.
③ 질병의 치료제로 사용된다.
④ 번식하는 능력이 있다.
⑤ 서로 대화할 수 있다.

WORDS

scream [skri:m] 동 비명을 지르다
warn [wɔːrn] 동 경고하다
danger [déindʒər] 명 위험
single-celled 단세포의
organism [ɔ́ːrgənìzəm] 명 생물, 유기체
microscope [máikrəskòup] 명 현미경
particularly [pərtíkjələrli] 부 특히
discover [diskʌ́vər] 동 발견하다
glow [glou] 동 빛나다
send out ~을 보내다
chemical [kémikəl] 형 화학의
signal [sígnəl] 명 신호
response [rispɑ́:ns] 명 응답
death [deθ] 명 죽음
multiply [mʌ́ltəplài] 동 크게 증가하다
deadly [dédli] 형 치명적인
illness [ílnis] 명 병, 질병
wipe out ~을 없애 버리다
call out to ~에게 큰 소리로 말하다

직독직해

Birds communicate / by singing and calling out / to one another.

They may not sound / like an exciting thing / to study.

E.Coli can make / people very sick / and even cause death.

03 Bamboo Forest

Bamboo is a widespread and adaptable plant. It can grow in diverse climates, from cold mountains to tropical regions. They grow in Africa, the Americas, Australia, India, China, and Southeast Asia. Some tropical bamboos can ___(A)___ at freezing temperatures while others can ___(B)___ cold winters. This wide availability means it is useful to man and animals alike.

Because it is widespread, it is eaten by various animals, including man. It's eaten by the giant panda of China, the red panda of Nepal, and the bamboo lemurs of Madagascar. Even mountain gorillas, chimpanzees, and African elephants eat bamboo. And people eat bamboo shoots. In the Himalayas, they are fermented with oil and turmeric and cooked with potatoes. But some species have toxins that need to be boiled out.

Bamboo can also be used to make things. Ancient China made books out of bamboo sticks. It could also be used to make weapons such as staffs, archery bows, and early guns. They can also be made into fishing rods, furniture, or hardwood flooring.

Grammar Note

3행 : from A to B

from A to B는 'A부터 B까지'라는 의미로 from과 to를 짝지어서 자주 사용.

How far is it **from** the earth **to** the sun?
지구에서 태양까지는 거리가 얼마인가?

Mina flew **from** Paris **to** Rome.
미나는 파리에서 로마까지 비행기 편으로 갔다.

17, 18행 : used가 들어간 표현에서 주의해야 할 점

[be used to (동)명사: ~에 익숙해지다], [be used+to부정사: ~하는 데 이용되다], [used to+동사원형: ~하곤 했다]는 헷갈리기 쉬우므로 각 표현의 뜻을 정확히 이해해야 함.

I'm **used to studying** in noisy places. (이때 to는 전치사)
나는 시끄러운 곳에서 공부하는 것이 익숙하다.

Those tools will **be used to make** chairs.
저 도구들은 의자를 만드는 데 사용될 것이다.

My father **used to make** furniture for a living.
우리 아버지는 생계를 위해서 가구를 만들곤 했다.

정답 p.3

1 사람들이 죽순을 먹을 때 조심해야 하는 이유는 무엇인가?

① 싹이 단단하고 날카롭기 때문에
② 곰팡이가 잘 자랄 수 있기 때문에
③ 강황과 모양이 비슷하기 때문에
④ 발효가 되면 상할 수 있기 때문에
⑤ 일부 종들이 독성 물질이 있기 때문에

2 이 글의 빈칸 (A)와 (B)에 들어갈 말로 가장 알맞은 것은?

	(A)	(B)
①	live	endure
②	tolerate	hurt
③	die	survive
④	freeze	rot
⑤	grow	expand

3 다음 중 대나무를 먹지 않는 동물은?

① 아프리카 코끼리
② 마운틴 고릴라
③ 레서판다
④ 코알라
⑤ 대나무 여우원숭이

4 다음 중 이 글에서 대나무의 쓰임으로 언급되지 않은 것은?

① 가구
② 술잔
③ 낚싯대
④ 활
⑤ 책

WORDS

bamboo [bæmbúː] 명 대나무
widespread [wáidspréd] 형 널리 퍼진, 광범위한
adaptable [ədǽptəbl] 형 적응할 수 있는
diverse [daivə́ːrs] 형 다양한
climate [kláimit] 명 기후
tropical [trɑ́ːpikl] 형 열대의
freezing temperature 결빙 온도
availability [əvèiləbíləti] 명 유효성, 유용성
alike [əláik] 부 똑같이
various [vɛ́(ː)əriəs] 형 다양한
red panda 레서판다
lemur [líːmər] 명 여우원숭이
mountain gorilla 마운틴 고릴라
shoot [ʃuːt] 명 순, 싹
ferment [fə́ːrment] 동 발효되다
turmeric [tə́rmərik] 명 강황
toxin [tɑ́ksin] 명 독소
boil out 끓어넘치다, 분출하다
weapon [wépən] 명 무기
staff [stæf] 명 막대기
archery bow 양궁용 활
fishing rod 낚싯대
flooring [flɔ́ːriŋ] 명 바닥재

직독직해

It can grow / in diverse climates.

Some species have / toxins / that need / to be boiled out.

Bamboo can / also be used / to make things.

04 Mr. Eat-It-All

Almost everyone can think of a food that is too strange for them to eat. But the things that Michael Lotito eats may be the strangest things of all. Michael likes to eat a lot, but instead of eating pizza or hamburgers, Lotito likes to indulge on metal, glass, rubber, and almost anything else he can get his mouth around!

Born in Grenoble, France in 1950, as a child, Lotito was always swallowing small objects. As a teen, he used this talent to impress his friends, and as time went on he realized that he was able to eat almost anything. Doctors say that he is able to do this because he was born with a stomach lining that is twice as thick as an average person's.

Over the years, he has eaten many everyday items such as televisions, bicycles, and furniture, but his most famous meal was when he ate an airplane. Yes, that's right, an airplane! It took him over two years to consume the small plane. In France, he is known as Monsieur Mangetout (Mister Eat-it-all) and because of this unusual talent he has become a celebrity all over the world.

Grammar Note

2행 : too ~ to 부정사
[too+형용사/ 부사+to부정사]는 '너무 ~해서 …할 수 없다'는 의미로 쓰이는 관용 표현.

You are too young to go to school.
너는 너무 어려서 학교에 갈 수 없다.

10행 : be always -ing
동사의 진행형이 always와 함께 쓰일 경우 바람직하지 않은 행동을 너무 자주 한다는 의미로 쓰임.

You are always messing up the room!
너는 늘 방을 어지럽히는구나!

정답 p.3

1 이 글의 주제로 가장 알맞은 것은?

① people who eat too many hamburgers
② eating the biggest food in the world
③ the most famous meal in an airplane
④ various ways to impress close friends
⑤ a man who can eat things that aren't food

2 이 글의 밑줄 친 strange와 의미가 가장 가까운 것은?

① ordinary
② common
③ odd
④ curious
⑤ sound

3 Michael Lotito에 대한 내용과 일치하지 않는 것은?

① 프랑스의 한 마을에서 태어났다.
② 비행기를 2년에 걸쳐 먹은 경험이 있다.
③ 특별한 재주 때문에 세계적으로 유명하다.
④ 다른 것들에 비해 금속을 더 즐겨 먹는다.
⑤ 아이였을 때부터 물건을 삼킬 수 있었다.

4 Michael Lotito가 거의 무엇이든 먹을 수 있는 이유를 우리말로 쓰시오.

____

WORDS

indulge [indʌ́ldʒ] ⑤ 탐닉하다
metal [métəl] ⑲ 금속
rubber [rʌ́bər] ⑲ 고무
swallow [swάlou] ⑤ 삼키다
object [ά:bdʒikt] ⑲ 물건, 물체
talent [tǽlənt] ⑲ 재주, 재능
impress [imprés] ⑤ 깊은 인상을 주다
stomach lining 위벽
thick [θik] ⑱ 두꺼운
average [ǽvəridʒ] ⑱ 보통의
over the years 수년 간
consume [kənsú:m] ⑤ 먹어 치우다
be known as ~로 알려져 있다
unusual [ʌnjú:ʒuəl] ⑱ 특이한
celebrity [səlébrəti] ⑲ 유명 인사
all over the world 전 세계에

직독직해

As a teen, / he used / this talent / to impress his friends.

____

Over the years, / he has eaten / many everyday items.

____

It took / him / over two years / to consume the small plane.

____

Review Test

정답 p.4

[1~2] 밑줄 친 단어와 비슷한 의미의 단어를 고르시오.

1 The most important thing is your health.

① generous ② careless ③ honest ④ significant ⑤ diligent

2 Some people collect bottles with unusual shapes.

① uncommon ② clever ③ casual ④ normal ⑤ formal

[3~5] 빈칸에 알맞은 단어를 〈보기〉에서 찾아 쓰시오.

보기	alike	practical	thick	deadly	diverse

3 Sam and I look ____________. Many think that we are twins.

4 Those chemicals are ____________. Please keep them out of reach of children.

5 The new machine is so ____________ that many people buy it.

6 **밑줄 친 부분 중 생략할 수 있는 것을 고르시오.**

① Being a teacher can be very rewarding.
② What is it like being a firefighter?
③ Being born into a poor family, he had to leave school at 12.
④ What are good things about being a college student?
⑤ The room is being cleaned.

[7~8] 밑줄 친 부분을 어법에 맞게 고쳐 쓰시오.

7 Kevin is used to get up early in the morning.

____

8 We followed the trail is leading to a cabin.

____

[9~10] 우리말과 뜻이 같도록 주어진 단어를 배열하여 문장을 완성하시오.

9 햄버거는 간 쇠고기를 사용한 샌드위치로 볼 수 있다.
(as a sandwich / can / the hamburger / be seen / using ground beef)

____

10 침팬지들은 서로에게 뱀에 대해 경고하기 위해 소리를 질러 대화한다.
(by screaming / their friends / communicate / to warn / chimpanzees / of snakes)

____

02 UNIT

05 Heavenly Park

The Forbidden City was built in Beijing for the emperor to live in. But next to it, there is an even larger place, the Temple of Heaven Park. This was where the emperors would perform ceremonies for Heaven. The idea is that the emperor's residence could not be _________ than the one for Heaven.

The north side of the Temple of Heaven Park is a half circle symbolizing Heaven and the south side is a square symbolizing Earth. The park has a very regular design and over 60,000 trees. The most famous is a 500-year-old tree called the Nine-Dragon. The park is open to the public for walking, riding bikes, playing chess, or flying kites.

One distinctive building in the park is the Hall of Prayer for Good Harvests. (A) The three-story temple has a blue-purple umbrella roof. (B) It sits on three layers of marble terrace. (C) The original building was built in 1420. But it was struck by lightning in 1889 and destroyed. (D) It was rebuilt the following year. (E)

*Temple of Heaven Park: 천단공원

*Hall of Prayer for Good Harvests(티엔탄): 황제가 풍년을 기원하며 하늘에 제사를 지내던 장소

Grammar Note

4행 : 관계부사 또는 선행사의 생략

관계부사와 선행사는 둘 중 하나가 생략될 수 있음.

That's (the reason) **why** I came here.
그것이 내가 여기에 온 이유이다.
(= That's **the reason** (why) I came here.)

This village is (the place) **where** I was born.
이 마을은 내가 태어난 곳이다.
(= This village is **the place** (where) I was born.)

11행 : 보어의 도치

[주어+동사+보어] 형식의 문장에서 주어가 너무 긴 경우 보어를 앞으로 보내 [보어+동사+주어]의 순으로 도치 가능.

Attached (보어) are **some pictures taken when I went to Paris** (주어).
내가 파리에 갔을 때 찍은 몇 장의 사진이 첨부되었다.

정답 p.4

1 Temple of Heaven Park에 대한 내용과 일치하는 것은?

① 500년 이상 된 나무가 많이 있다.
② 다양하고 화려한 디자인들로 구성되어 있다.
③ 6만 그루 이상의 나무들이 서식하고 있다.
④ 공원의 북쪽은 땅을 상징하는 사각형이다.
⑤ 의식을 제외하고 대중에게 개방하지 않는다.

2 Hall of Prayer for Good Harvests에 대해 언급되지 <u>않은</u> 것은?

① 지붕의 색상
② 건물의 건축 연도
③ 건물의 층수
④ 건물이 파괴된 이유
⑤ 테라스의 넓이

3 이 글의 빈칸에 들어갈 말로 가장 알맞은 것은?

① less
② smaller
③ prettier
④ larger
⑤ lower

4 다음 문장이 들어가기에 가장 알맞은 곳은?

> The building is now 38 meters tall and 30 meters wide.

① (A) ② (B) ③ (C)
④ (D) ⑤ (E)

WORDS

emperor [émpərər] 명 황제
temple [témpl] 명 신전, 사원
perform [pərfɔ́ːrm] 동 행하다
ceremony [sérəmòuni] 명 의식
residence [rézidəns] 명 거주지
half circle 반원
symbolize [símbəlàiz] 동 상징하다
square [skwɛər] 명 정사각형
regular [régjələr] 형 규칙적인
open to ~에게 개방된
the public 일반 국민, 대중
distinctive [distíŋktiv] 형 독특한
blue-purple 청자색
layer [léiər] 명 층, 막
marble [máːrbl] 명 대리석
terrace [térəs] 명 테라스
lightning [láitniŋ] 명 번개
destroy [distrɔ́i] 동 파괴하다
rebuild [rìːbíld] 동 다시 세우다
following year 다음해

직독직해

The emperors would perform / ceremonies / for Heaven.

The park has / a very regular design / and over 60,000 trees.

It was struck / by lightning / in 1889 / and destroyed.

06 Power to Move Things

In stories about magic, people often have telekinesis. Telekinesis is the power to move things around using only your mind. But telekinesis might not always be something that exists only in stories about magic. Scientists are trying to figure out how to give people this power.

At Duke University, a scientist named Dr. Nicolelis connected a few small wires to the brains of some monkeys. He then connected the wire to special robot arms. After a while, _________ learned to move the robot arm around using nothing but their thoughts!

Scientists want to use this technology to help people. They especially hope to help people who have trouble moving. In one recent experiment, scientists used this technology to enable a man to move a mouse cursor with his thoughts. In the future, people might be able to move wheelchairs or other transportation devices with their thoughts.

Not surprisingly, handicapped people aren't the only people who want to have telekinesis. Even some people who don't have trouble moving would also like to control machines with their minds. Maybe someday you will have telekinetic powers.

*telekinesis: 염력, 물리적인 힘을 사용하지 않고 물체를 움직이는 것

Grammar Note

14, 19행 : have trouble[difficulty] -ing

[have trouble[difficulty] -ing]는 '~하는 데 어려움이 있다'는 의미.

Jerry had no trouble solving the math problem.

제리는 그 수학 문제를 푸는 데 아무런 문제가 없었다.

16행 : 조동사+be able to

be able to는 '능력'을 나타내는 조동사지만, 다른 조동사와 결합해서 사용할 수 있음.

Will you be able to visit tomorrow?

내일 올 수 있나요? (be able to에 '미래'의 의미가 결합된 형태)

정답 p.5

1 이 글의 주제로 가장 알맞은 것은?

① a person in a magical story who can move things with his mind
② how monkeys talk to each other in the forest
③ technology that lets people move objects using their minds
④ the ways that monkeys and humans are similar in using their minds
⑤ why telekinesis has a bad effect on people's minds

2 이 글의 밑줄 친 figure out과 의미가 가장 가까운 것은?

① send
② spread
③ manage
④ remove
⑤ understand

3 과학자들이 염력을 사용하고자 하는 목적은 무엇인가?

① 마술의 영역을 확장하기 위해
② 몸이 불편한 사람을 돕기 위해
③ 원숭이의 지능을 측정하기 위해
④ 로봇의 기능을 발달시키기 위해
⑤ 원숭이와 대화하는 법을 배우기 위해

4 이 글의 빈칸에 들어갈 말로 가장 알맞은 것은?

① Dr. Nicolelis
② the monkeys
③ the brains
④ the scientists
⑤ the robots

WORDS

- **magic** [mǽdʒik] 명 마술
- **telekinesis** [tèləkiníːsis] 명 염력
- **wire** [waiər] 명 전선
- **connect** [kənékt] 동 연결하다
- **after a while** 잠시 후
- **nothing but** 오직
- **thought** [θɔːt] 명 생각
- **technology** [teknɑ́ːlədʒi] 명 기술
- **especially** [ispéʃəli] 부 특히
- **have trouble ~ing** ~에 곤란을 겪다
- **recent** [ríːsənt] 형 최근의
- **experiment** [ikspérəmənt] 명 실험
- **enable** [inéibl] 동 ~을 할 수 있게 하다
- **in the future** 미래에
- **transportation** [træ̀nspərtéiʃən] 명 교통, 운송
- **device** [diváis] 명 장치, 기구
- **not surprisingly** 놀랄 것 없이, 당연히
- **handicapped** [hǽndikæ̀pt] 형 장애가 있는
- **control** [kəntróul] 동 통제하다

직독직해

Scientists are trying / to figure out / how to give / people this power.

Scientists want / to use this technology / to help people.

Maybe someday / you will have / telekinetic powers.

07 Hopping About

What is a kangaroo? A kangaroo is a large animal found only in Australia. Because they only live there, they are an unofficial mascot for the country. They can grow to 2 meters tall and weigh up to 90 kilograms. With powerful legs and tail, they can run 48 kilometers an hour and _______ 9 meters in one hop.

Kangaroos are a marsupial animal. (A) A baby kangaroo is about the size of a grape when born. (B) Inside of it, babies can live and feed for months. (C) This means female kangaroos have a large pouch. It will climb up the pouch and live inside for up to 10 months. There it can feed on its mother's milk. At about 4 months, it may leave the pouch for short trips outside but always return. But it will only leave for good at 10 months.

Kangaroos eat grass, flowers, leaves, and insects. They live in groups called mobs of 50 or more. If they feel danger, they pound their feet on the ground. Male kangaroos fight each other using kicks or bites. They live for about seven years in the wild.

Grammar Note

6행 : 도구의 전치사 with

with는 '~와 함께'라는 의미 외에도 '~을 이용해서'라는 수단의 뜻이 있음.

I peeled the apple **with** a knife.
나는 칼로 사과 껍질을 벗겼다.

My brother can pick up the beans **with** chopsticks.
내 남동생은 젓가락으로 콩을 집을 수 있다.

18행 : each other

each other는 '서로'라는 의미의 대명사로 재귀대명사와 혼동하지 않도록 주의.

They looked at **themselves** in the mirror.
그들은 거울 속에 비친 자신들의 모습을 보았다.

They looked at **each other**.
그들은 서로를 바라보았다.

정답 p.5

1 캥거루에 대한 내용과 일치하지 않는 것은?

① 주로 먹는 것은 풀과 곤충들이다.
② 호주는 야생 캥거루가 있는 유일한 나라이다.
③ 보통의 성인 남성보다 더 크게 자랄 수 있다.
④ 대부분 약 7년 동안 야생에서 혼자 살아간다.
⑤ 태어나서 10개월 후 어미 주머니를 완전히 떠난다.

2 이 글의 빈칸에 들어갈 말로 가장 알맞은 것은?

① step
② cover
③ drive
④ spend
⑤ check

3 이 글의 (A)~(C)를 글의 흐름에 맞게 배열한 것은?

① (A)–(B)–(C)
② (A)–(C)–(B)
③ (B)–(A)–(C)
④ (B)–(C)–(A)
⑤ (C)–(B)–(A)

4 캥거루가 위협을 느낄 때 하는 행동을 우리말로 쓰시오.

____

WORDS

unofficial [ʌnəfíʃəl] 형 비공식적인
mascot [mǽskət] 명 마스코트
weigh [wei] 동 무게가 ~이다
up to ~까지
hop [hɑp] 명 깡충 뛰기
marsupial [mɑːrsúːpiəl] 형 유대류(類)의
feed [fiːd] 동 먹이를 먹다
female [fímeil] 형 암컷의, 여성의
pouch [pautʃ] 명 주머니
climb up ~에 오르다
mother's milk 모유
for good 영원히
mob [mɑb] 명 군중, 무리
danger [déindʒər] 명 위험
pound [paund] 동 마구 치다
male [meil] 형 수컷의, 남성의
bite [bait] 명 물기, 물어뜯기
live in the wild 야생에서 살다

직독직해

A kangaroo is / a large animal / found / only in Australia.

____

Inside of it, / babies can live / and feed / for months.

____

Male kangaroos fight / each other / using kicks or bites.

____

08 The Secret Model

In 1506, an artist named Leonardo da Vinci painted a picture of a woman and called it the *Mona Lisa*. He painted it on a piece of pinewood. It was admired and became famous worldwide, mainly due to her mysterious smile. Da Vinci usually recorded information of models who posed for him; but no record has ever been found about Mona Lisa. Who posed for him? Was she a friend? Was she a relative? These questions have puzzled people for over 500 years.

According to a female investigator named Lillian Schwartz, Leonardo painted himself. Schwartz was able to ____________________ by analyzing the facial features of Leonardo's face and those of the famous painting. She took a self-portrait of the artist and the *Mona Lisa* and merged the two images together using a computer. She discovered the features of the faces aligned perfectly!

Rina de Firenze, an Italian writer, had insisted that Leonardo had painted his mother Caterina and called it the *Mona Lisa*. This female writer even wrote a book about it. Could that be the reason why Mona Lisa's face looked so similar to Leonardo's? Who do you think is right — Lillian Schwartz or Rina de Firenze?

Grammar Note

16행 : 명사절 접속사 that의 생략
that이 이끄는 명사절이 목적어로 쓰일 때 that은 생략 가능.
He thinks (that) he is always right and I am always wrong.
그는 자신이 언제나 옳고 나는 항상 틀리다고 생각한다.

20행 : 관계부사 why
why는 이유를 나타내는 관계부사이며 선행사로는 주로 the reason이 나옴.
Do you know the reason why they emigrated to Hungary?
그들이 헝가리로 이민을 간 이유를 알고 있니?

정답 p.6

1 이 글의 주제로 가장 알맞은 것은?

① 레오나르도 다 빈치의 그림 특징
② 레오나르도 다 빈치의 모델 기준
③ '모나리자'의 모델이었던 사람에 대한 주장들
④ '모나리자'의 미술사적 가치와 영향
⑤ '모나리자'의 신비스러운 미소의 다양한 해석

2 '모나리자'에 대한 내용과 일치하지 않는 것은?

① 전 세계적으로 유명한 그림이다.
② 모델에 대한 기록은 아직 발견되지 않았다.
③ 다빈치는 16세기에 '모나리자'를 소나무 화판에 그렸다.
④ '모나리자'의 얼굴은 다빈치의 어머니의 얼굴과 일치한다.
⑤ 이탈리아의 한 작가는 '모나리자'가 다빈치의 어머니라고 믿는다.

3 이 글의 밑줄 친 puzzled와 의미가 가장 가까운 것은?

① cheated
② painted
③ brought
④ surprised
⑤ confused

4 이 글의 빈칸에 들어갈 말로 가장 알맞은 것은?

① share her error
② stop her research
③ support her theory
④ give up her thought
⑤ expand her philosophy

WORDS

pinewood [páinwùd] 명 소나무 재목
admire [ədmáiər] 동 칭찬하다
worldwide [wə́ːrldwáid] 부 전 세계에
mainly [méinli] 부 주로
due to ~ 때문에
mysterious [mistí(ː)əriəs] 형 불가사의한, 신비한
record [rikɔ́ːrd] 동 기록하다
pose for ~을 위해 포즈를 취하다
relative [rélətiv] 명 친척
investigator [invéstəgèitər] 명 수사관, 조사관
analyze [ǽnəlàiz] 동 분석하다
facial feature 얼굴의 특징
self-portrait 자화상
merge [məːrdʒ] 동 합치다
discover [diskʌ́vər] 동 발견하다
align [əláin] 동 일렬이 되다, 정렬하다
insist [insíst] 동 주장하다
similar to ~와 유사한

직독직해

No record / has ever been found / about Mona Lisa.

____

She discovered / the features of the faces / aligned perfectly!

____

This female writer even wrote / a book / about it.

____

Review Test

정답 p.6

[1~2] 밑줄 친 단어와 반대 의미의 단어를 고르시오.

1 Gerrard admires her for her strength and courage.
① attempt ② claim ③ involve ④ despise ⑤ demand

2 They decided to merge their companies.
① found ② separate ③ run ④ close ⑤ start

[3~5] 빈칸에 알맞은 단어를 〈보기〉에서 찾아 쓰시오.

보기	enable	unofficial	handicapped	mysterious	weigh

3 These apples ____________ 5 kilos.

4 She never offers her seat to ____________ people.

5 A(n) ____________ sound was heard somewhere in the distance.

6 밑줄 친 부분 중 생략할 수 있는 것을 고르시오.

① That's why he left for London.
② I don't remember the time when I was a baby.
③ Do you know where the nearest post office is?
④ Can you tell me what that is?
⑤ When is the event?

[7~8] 밑줄 친 부분을 어법에 맞게 고쳐 쓰시오.

7 Tommy has trouble to sleep these days.

____

8 Peter and Peggy hate themselves. They argue every day.

____

[9~10] 우리말과 뜻이 같도록 주어진 단어를 배열하여 문장을 완성하시오.

9 자금성은 그곳에 살 황제를 위해 베이징에 건설되었다.
(for the emperor / was built / in Beijing / to live in / the Forbidden City)

____

10 새끼 캥거루는 태어났을 때 포도 정도의 크기이다.
(a grape / is / a baby kangaroo / the size of / about / when born)

____

03 UNIT

Patterns on the Ground
누가 그린 그림일까?

A Bug's Life
곤충과 더불어 살기

Clear Beauty
유리는 이런 것이야

Aliens Among Us?
새로운 외계인 이론

09 Patterns on the Ground

The Nazca Lines of Peru are about 900 large drawings on the ground. ⓐ They can be straight lines, triangles, spirals, circles and such. In addition, there are about 70 large animal and plant figures. Some of the more spectacular figures are a spider, monkey, flower, shark, bird, lizard, or human. The largest are over 200 meters across. The hummingbird is about 93 meters long. The spider is around 47 meters long.

Scientists think ⓑ they were drawn between 500 BC and 500 AD when the region had more people than now. The lines were not all made at the same time, nor in the same place, and probably not for the same reasons. ⓒ They could have been guiding routes to find water. They could also be paths used for religious purposes. There was no written record so research is still continuing today.

The earliest lines were simply stones piled up on the ground. ⓓ Others were carved out of the ground by removing the red pebbles to show the white ground underneath ⓔ them. Many of the lines were drawn on top of older ones. This makes their interpretation even more difficult.

Grammar Note

13행 : 접속사 nor

nor는 앞에 언급된 부정문에 이어서 비슷한 부정적인 내용을 소개하기 위해서 사용. nor 뒤에 주어를 가진 절이 오면 주어와 동사가 도치됨.

He doesn't like his job, (but) **nor** does he want to quit.
그는 자신의 일을 좋아하지 않지만, 그만두고 싶어하지도 않는다.

I won't go to the concert, and **nor** will Jack.
나는 콘서트에 가지 않을 것이고 잭도 가지 않을 것이다.

13행 : 중복된 어구의 생략

앞에서 등장한 어구는 다시 언급하지 않고 다른 필요한 정보만 언급함으로써 중복을 피함.

The school festival will be held soon, but I don't know exactly when **(it will be held)**.
학교 축제가 곧 개최될 것이지만 정확히 언제인지는 모른다.

정답 p.7

1 **Nazca Lines에 대한 내용과 일치하지 않는 것은?**

① 다양한 그림들을 그린 목적은 단 한 가지이다.
② 나선형 모양으로 된 것들이 있다.
③ 오늘날에도 계속 연구되는 주제이다.
④ 길이가 50미터 넘는 것들이 있다.
⑤ 동물 형상을 그린 것들 중에는 원숭이도 있다.

2 **이 글의 밑줄 친 carved와 의미가 가장 가까운 것은?**

① sculpted
② dug
③ captured
④ stuck
⑤ buried

3 **Nazca Lines의 해석이 어려운 이유는 무엇인가?**

① 다양한 종교적 의미가 담겨 있기 때문에
② 페루의 고대 상형 문자와 비슷하기 때문에
③ 주변의 지형지물 때문에 그림 전체를 볼 수 없기 때문에
④ 동물과 식물 형상들이 너무 복잡하게 그려졌기 때문에
⑤ 다른 시기에 그려진 무늬들이 한 장소에 겹쳐 있기 때문에

4 **이 글의 밑줄 친 단어들 중 가리키는 것이 다른 하나는?**

① ⓐ
② ⓑ
③ ⓒ
④ ⓓ
⑤ ⓔ

WORDS

drawing [drɔ́:iŋ] 명 그림
triangle [tráiæ̀ŋgl] 명 삼각형
spiral [spáiərəl] 명 나선
such [sətʃ:] 대 그러한 것
figure [fígjər] 명 형상
spectacular [spektǽkjələr] 형 장관을 이루는, 극적인
lizard [lízərd] 명 도마뱀
hummingbird [hʌ́miŋbə̀:rd] 명 벌새
at the same time 동시에
route [ru:t] 명 길, 노선
path [pæθ] 명 길, 경로
religious [rilíʤəs] 형 종교의
purpose [pə́:rpəs] 명 목적
continue [kəntínju(:)] 동 계속되다
pile up 쌓다
pebble [pébl] 명 조약돌, 자갈
underneath [ʌndərníθ] 전 ~의 밑에
interpretation [intə̀:rpritéiʃən] 명 해석

직독직해

In addition, / there are / about 70 large animal and plant figures.

They could also be / paths / used for religious purposes.

Many of the lines / were drawn / on top of older ones.

10 A Bug's Life

When you think about helpful animals, what kinds of animals do you think of? Do you only think of animals, such as dogs, that help people work?

Everybody has been bitten by a mosquito or scared by a spider, so people usually think that all bugs are pests. But have you ever stopped to think about how insects might be helpful to people? Try to imagine a world without flowers, fruits, vegetables, or honey. These are only a few of the things that helpful insects give us.

Honeybees provide beeswax for candles and delicious honey to eat. They also help to pollinate plants. Bees are very fuzzy, so when they fly to flowers, pollen sticks to their bodies, and they take the pollen to another flower. Pollination helps many crops like apples, grapes, and carrots to grow. Other insects, such as ladybugs, also help us by eating the bugs that are harmful to our flowers and crops.

Some insects help us produce food, but other insects are food. Pets like lizards, fish, and turtles eat bugs. Also, people in some countries enjoy eating insects such as ants, termites, and grasshoppers. Have you ever eaten an insect? Would you like to try one?

*pollen: 꽃에 의해 만들어진 고운 가루로, 씨앗을 만들어 낼 수 있도록 곤충이나 바람에 의해 다른 꽃으로 옮겨진다

*pollination: 씨앗을 만들어 낼 수 있도록 꽃가루를 이 꽃에서 저 꽃으로 옮기는 과정

Grammar Note

3, 19행 : such as

such as(~와 같은)는 예를 제시할 때 쓰이는 전치사구로 like와 같은 의미.

Please bring your identification, **such as[=like]** a driver's license.
운전 면허증과 같은 신분증을 가지고 오세요.

7행 : stop+to부정사

[stop+to부정사]는 '~하기 위해 멈추다, (하던 일을) 멈추고 ~하다'는 의미인 반면, [stop+-ing(동명사)]는 '~하기를 그만두다'는 의미.

We all **stopped** to listen to the announcement.
우리는 모두 하던 일을 멈추고 공지 사항을 들었다. (듣기 위해 멈추다)

They **stopped** doing business with the company.
그들은 그 회사와 거래하는 것을 중단했다.

정답 p.7

1 **이 글의 주제로 가장 알맞은 것은?**

① 곤충 중에서 해충이 많은 이유
② 식물과 곤충의 공생 관계
③ 곤충이 인간에게 유익한 특성
④ 곤충 가운데 해충을 구별하는 방법
⑤ 미래 식량 자원으로서 곤충의 가치

2 **이 글의 내용과 일치하지 않는 것은?**

① 수분은 농작물의 성장에 중요한 과정이다.
② 몇몇 곤충은 어떤 문화권에서 식용으로 사용된다.
③ 거북이처럼 곤충도 애완동물로 인기를 얻고 있다.
④ 꿀벌은 식물이 수정하는 데 중요한 역할을 한다.
⑤ 꿀벌은 양초를 만드는 재료를 제공해 준다.

3 **이 글의 밑줄 친 fuzzy와 의미가 가장 가까운 것은?**

① tiny
② hairy
③ active
④ noisy
⑤ light

4 **무당벌레가 인간에게 이로운 점을 우리말로 쓰시오.**

____

WORDS

bite [bait] 동 물다
mosquito [məskí:tou] 명 모기
scared [skεərd] 형 겁먹은
usually [jú:ʒuəli] 부 보통, 대개
pest [pest] 명 해충
imagine [imǽdʒin] 동 상상하다
honeybee [hʌ́nibì:] 명 꿀벌
beeswax [bí:zwæ̀ks] 명 밀랍
candle [kǽndl] 명 양초
stick [stik] 동 ~에 붙다
crop [krɑp] 명 작물
ladybug [léidibʌ̀g] 명 무당벌레
harmful [há:rmfəl] 형 해로운
produce [prədjú:s] 동 생산하다
lizard [lízərd] 명 도마뱀
termite [tə́:rmait] 명 흰개미
grasshopper [grǽshɑ̀pər] 명 메뚜기

직독직해

Do you only think of / animals / such as dogs?

____

They take / the pollen / to another flower.

____

Pets / like lizards, fish, and turtles / eat bugs.

____

11 Clear Beauty

Glass has a long history and is a flexible and useful material. The first true glass was made in the Mesopotamian region. It was used for decorative beads in necklaces, for example. Ancient India and ancient Rome also used glass, mostly as containers for food or drink. In the Middle Ages, gothic cathedrals had stained glass windows. These are just a few of its many uses in history.

Another use for glass is for windows in the home. Glass allows light to shine through but blocks the wind. We take glass windows for granted nowadays. But they became popular for houses only in the Renaissance. Before then, windows were simply open holes in the wall. Sometimes they were covered with animal skins, wood, or cloth.

Today glass has even more uses for modern society. Doors and even walls can be made entirely of glass. Some office buildings are completely covered in glass. Glass is also used for ___(A)___ items such as figurines, lamp shades, vases, and chandeliers. More ___(B)___ uses include perfume cases, eyeglasses, solar panels, and computer circuits.

Grammar Note

11행 : take ~ for granted
take ~ for granted는 '~을 당연시하다'는 의미로 사용되는 표현.
We often **take** our freedom **for granted**.
우리는 자주 우리의 자유를 당연하게 여긴다.

16행 : by 이외의 전치사를 사용하는 수동태
be made of는 '~로 만들어지다'는 의미로 사용되며 of는 구성물들 사이에 화학적인 변화가 없는 경우에 쓰임.
The table **is made of** wood and iron.
이 테이블은 나무와 철로 만들었다.

정답 p.8

1 이 글의 주제로 가장 알맞은 것은?

① how to find new uses for glass
② the various uses of glass
③ solving a mystery about glass
④ how to make glass at home
⑤ innovations in glass technology

2 유리에 대한 내용과 일치하지 않는 것은?

① 중세에 성당을 장식하는 데 사용되었다.
② 메소포타미아 지역에서 처음 제작되었다.
③ 동물 가죽을 대신해 창문에 쓰였다.
④ 고대 사람들은 일상생활의 물건으로 이용했다.
⑤ 벽면의 재료로서 인기가 떨어지고 있다.

3 이 글의 빈칸 (A)와 (B)에 들어갈 말로 가장 알맞은 것은?

	(A)	(B)
①	exact	factual
②	blank	efficient
③	luxurious	economical
④	decorative	practical
⑤	showy	constructive

4 가정용 창문으로 유리의 특징은 무엇인지 우리말로 쓰시오.

____

WORDS

history [hístəri] 명 역사
flexible [fléksəbl] 형 유연한
useful [jú:sfəl] 형 유용한
material [mətí(:)əriəl] 명 재료
region [rí:dʒən] 명 지방, 지역
decorative [dékərətiv] 형 장식용의
bead [bi:d] 명 구슬
mostly [móustli] 부 주로
gothic cathedral 고딕 성당
stain [stein] 동 착색하다, 얼룩지게 하다
allow [əláu] 동 허용하다
block [blɑk] 동 막다, 차단하다
take ~ for granted ~을 당연시하다
cover [kʌ́vər] 동 ~을 덮다
entirely [intáiərli] 부 전적으로
figurine [fìɡjərí:n] 명 작은 조각상
lamp shade 전등 갓
chandelier [ʃæ̀ndəlíər] 명 샹들리에
solar panel 태양 전지판
computer circuit 컴퓨터 회로

직독직해

The first true glass / was made / in the Mesopotamian region.

____

Before then, / windows were / simply open holes / in the wall.

____

Some office buildings / are completely covered / in glass.

____

12 Aliens Among Us?

Carl Sagan was a great space scientist. He was also a famous astrophysicist who suggested that there is life on other planets. However, he said we just cannot see it. The life forms are not visible to our eyes. He showed us that there are at least eleven dimensions that life can exist in. Humans cannot see life that looks like "light beings." According to Carl Sagan, some extraterrestrials are made of light, but our eyes cannot see them.

Carl Sagan used the metaphor of fish. Fish in the sea have no idea who or what humans are. They do not understand us. If you were to try to tell a fish about humans, of course it would not understand. Carl Sagan explained that humans __________________ when it comes to understanding extraterrestrials. We cannot see them, so we cannot understand what they are. Carl Sagan explained that it could be possible for aliens to visit us, but we cannot see them. He stated that it is possible for them to fly light ships, but again, we cannot see them. They may see and understand us, just as we can see and understand the fish.

Grammar Note

12행 : if ~ were to

[if ~ were to]는 가능성이 희박한 미래를 가정할 때 쓰는 가정법 표현.

If the world were to end tomorrow, what would you do today?

만일 내일 세상이 멸망한다면, 당신은 오늘 무엇을 하겠는가?

17, 18행 : to부정사의 의미상의 주어

문장에서 to부정사의 의미상의 주어를 따로 표시해 줄 경우 to부정사 앞에 [for+목적격]이 위치함.

I'll bring some books for you to read.

네가 읽을 책을 몇 권 가져올게.

정답 p.8

1 **Carl Sagan에 대한 내용과 일치하지 않는 것은?**

① 모든 외계 생명체가 빛의 형태라고 주장한다.
② 인간은 외계 생명체를 볼 수 없다고 주장한다.
③ 다른 행성에 외계 생명체가 있다고 주장한다.
④ 외계 생명체가 인간을 찾아올 수 있다고 주장한다.
⑤ 생명체가 존재할 수 있는 차원이 10차원 이상이라고 주장한다.

2 **이 글의 밑줄 친 exist와 의미가 가장 가까운 것은?**

① feed
② survive
③ leave
④ overcome
⑤ expect

3 **이 글의 빈칸에 들어갈 말로 가장 알맞은 것은?**

① are the same
② make efforts
③ become powerful
④ lose their reason
⑤ have special ability

4 **이 글의 밑줄 친 They가 가리키는 것은 무엇인가?**

① Fish
② Aliens
③ Humans
④ Scientists
⑤ Eleven dimensions

WORDS

- **alien** [éiliən] 명 외계인
- **space scientist** 우주 과학자
- **famous** [féiməs] 형 유명한
- **astrophysicist** [æ̀stroufíziksist] 명 천체 물리학자
- **suggest** [səgdʒést] 동 제안하다, 시사하다
- **life form** 생물 형태
- **visible** [vízəbl] 형 눈에 보이는
- **at least** 적어도
- **dimension** [diménʃən] 명 차원
- **exist** [igzíst] 동 존재하다
- **being** [bíːiŋ] 명 존재
- **extraterrestrial** [èkstrətəréstriəl] 명 외계인
- **metaphor** [métəfɔ̀ːr] 명 비유
- **when it comes to** ~에 관한 한
- **explain** [iksplέin] 동 설명하다
- **state** [steit] 동 말하다

직독직해

The life forms are / not visible / to our eyes.

Carl Sagan used / the metaphor / of fish.

We cannot see / them, / so / we cannot understand / what they are.

Review Test

정답 p.9

[1~2] 밑줄 친 단어와 비슷한 의미의 단어를 고르시오.

1 The top of the roof is decorated with animal figures.
① shadows ② numbers ③ forms ④ bodies ⑤ photos

2 J. K. Rowling is one of the most famous writers in the world.
① productive ② well-known ③ talented ④ best-selling ⑤ rich

[3~5] 빈칸에 알맞은 단어를 〈보기〉에서 찾아 쓰시오.

보기	continue	visible	flexible	harmful	imagine

3 Don't eat this mushroom. It's very ____________.

4 You have to be very ____________ to become a gymnast.

5 I cannot ____________ myself being a politician.

6 **밑줄 친 부분의 쓰임이 다른 하나를 고르시오.**

① It began to rain hard.
② She wanted to try some new food.
③ He continued to work after a short break.
④ They started to discuss the topic.
⑤ We all stopped to watch the shooting star.

[7~8] 밑줄 친 부분을 어법에 맞게 고쳐 쓰시오.

7 I'd like to have pets such dogs and cats.

____

8 It is hard of me to patiently listen to such a boring lecture!

____

[9~10] 우리말과 뜻이 같도록 주어진 단어를 배열하여 문장을 완성하시오.

9 문과 심지어 벽면이 전부 유리로 만들어질 수 있다.
(entirely of glass / even walls / doors / can be made / and)

____

10 바닷속에 사는 물고기는 인간이 누구인지 또는 무엇인지 전혀 알지 못한다.
(have / fish in the sea / who or what / no idea / humans are)

____

04 UNIT

13 Man Against Beast
동물과 맞서 싸우기

14 In the Dark
맛있게 먹는 비결

15 Food Wrap
타코도 알고 먹자

16 The Strongest Living Thing
얕볼 수 없는 어떤 곤충

13 Man Against Beast

The earliest instance of a bullfight might be in *the Epic of Gilgamesh* when Gilgamesh battles with the Bull of Heaven. Ancient Rome also saw gladiators fighting different animals including bulls. Modern bullfighting still exists, most famously in Spain, Portugal, and Mexico. It originally had people riding a horse and fighting a bull. And the bull is usually killed with spears and swords. This style can still be found in Portugal. In that country, even women can be bullfighters.

In 1726, the Spanish bullfighter Francisco Romero began the style of bullfighting on foot without a horse. He stood very close to the bull and waved a red cape to attract the bull. This later became the common style of bullfighting in Spain and elsewhere.

A type of bullfighting still found in parts of France and southern India is more like bull-leaping. Several bullfighters in the stadium simply jump over the bulls. They don't use any weapons to harm the bulls. Sometimes they compete to grab a handkerchief tied to the horns. Although the bulls are not _________, the humans can still be injured by the bull's horns or feet.

Grammar Note

4행 : 지각동사+목적어+목적보어

지각동사는 5형식을 취할 수 있는데, 목적보어에는 현재분사나 동사원형이 옴. 현재분사는 진행 중인 동작에 쓰고, 동사원형은 완료된 동작에 사용. 지각동사에는 see, watch, hear, listen to, feel 등이 있음.

I **saw** a man jump into the pool.
나는 한 남자가 수영장으로 뛰어드는 모습을 보았다. (완료된 동작)

I **saw** a man swimming in the pool.
나는 한 남자가 수영장에서 수영하고 있는 것을 보았다. (남자가 수영을 하고 있는 중간에 그를 바라본 경우)

9, 16행 : [주격 관계대명사+be동사]의 생략

[주격 관계대명사+be동사]로 시작하는 관계사절에서 이 둘은 생략이 가능.

There is a man **lying under the tree.**
나무 아래에 누워 있는 한 남자가 있다.
(=There is a man who is **lying under the tree.**)

정답 p.9

1 **이 글의 목적은 무엇인가?**

① 투우가 세계적인 유행임을 보여 주기 위해
② 중요한 문화적 행사로서 투우를 소개하기 위해
③ 다양한 유형의 투우를 설명하기 위해
④ 과거부터 현재까지 투우의 인기를 보여 주기 위해
⑤ 투우와 황소 뛰어넘기 사이의 차이점을 설명하기 위해

2 **말을 타지 않고 투우를 시작한 최초의 국가는 어디인가?**

① 프랑스
② 스페인
③ 인도
④ 멕시코
⑤ 포르투갈

3 **이 글의 빈칸에 들어갈 말로 가장 알맞은 것은?**

① jumped
② attacking
③ killed
④ running
⑤ skipped

4 **다른 지역의 투우와 달리 포르투갈 투우만의 차별성은 무엇인가?**

① 황소의 뿔에 손수건을 묶는다.
② 창으로 황소들을 찌르지 않는다.
③ 반드시 말에 내려서 황소와 싸워야 한다.
④ 로마 시대 투우의 정통성을 이어받았다.
⑤ 남자뿐 아니라 여자도 투우사가 될 수 있다.

WORDS

instance [ínstəns] ⓜ 사례
bullfight [búlfàit] ⓜ 투우
battle with ~와 싸우다
ancient [éinʃənt] ⓗ 고대의
gladiator [glǽdièitər] ⓜ 검투사
bull [bul] ⓜ 황소
originally [ərídʒənəli] ⓑ 원래
spear [spiər] ⓜ 창, 투창
sword [sɔːrd] ⓜ 칼, 검
wave [weiv] ⓓ 흔들다
cape [keip] ⓜ 망토
attract [ətrǽkt] ⓓ 끌다
common [kámən] ⓗ 흔한
bull-leaping 황소 뛰어넘기
stadium [stéidiəm] ⓜ 경기장
weapon [wépən] ⓜ 무기
harm [hɑːrm] ⓓ 해치다
compete [kəmpíːt] ⓓ 겨루다
grab [græb] ⓓ 움켜잡다
handkerchief [hǽŋkərtʃi(ː)f] ⓜ 손수건
horn [hɔːrn] ⓜ 뿔
injure [índʒər] ⓓ 부상을 입히다

직독직해

The bull / is usually killed / with spears and swords.

He waved / a red cape / to attract the bull.

They don't use / any weapons / to harm the bulls.

14 In the Dark

There are some new restaurants in Europe called "In the Dark." These restaurants have no lights. They are all literally in the dark. Customers come into the lobby of the restaurant and order from the menu. They then go to their table in a very dark or pitch-black room. The rest of the restaurant is completely light-free. There are no lights at all. So, the customers cannot see what they eat. They can smell it, they can touch it, but they cannot see it.

You may ask yourself why this is. There are a couple of reasons. First of all, the waitstaff are entirely blind. And the owner of the restaurant wants the customers to experience what it is like to have no sight. In addition, the owner says, "If we can't see the food we are eating, the taste is stronger and the experience is more powerful."

He believes that seeing the food is _________. When people can't see, their other senses like smell and taste get stronger. If we focus on the taste and the smell of the food when we eat, the food will have a stronger flavor. So the secret to a delicious meal may just be this: eat in the dark.

Grammar Note

3, 9행 : no+명사

no는 명사 앞에 쓰여서 전체 부정을 나타냄. 이때 문장에서 not과 같은 부정어를 중복하여 사용하지 않도록 유의해야 함.

I have **no** money on me. (= I do**n't** have **any** money on me.)
나는 지금 돈이 한 푼도 없다.

11행 : 재귀대명사

동작의 대상이 주어 자신일 때 재귀대명사를 목적어로 취함.

He looked at **himself** in the mirror.
그는 거울 속의 자기 자신을 보았다.

정답 p.10

1 이 글에서 식당 주인이 손님들에게 어둠 속에서 식사를 권장하는 이유는?

① 식당의 전기세를 아끼기 위해
② 편안한 휴식을 제공하기 위해
③ 음식을 저렴한 가격에 판매하기 위해
④ 더 좋은 음식 맛을 느끼게 하기 위해
⑤ 식기 사용법을 잘 가르쳐 주기 위해

2 이 글의 밑줄 친 it이 공통으로 의미하는 것은?

① the restaurant
② the light
③ the food
④ the taste
⑤ the waitstaff

3 이 글의 빈칸에 들어갈 말로 가장 알맞은 것은?

① clear
② tasteless
③ annoying
④ vague
⑤ distracting

4 In the Dark Restaurant의 종업원과 다른 식당 종업원들의 차이점은 무엇인지 영어로 쓰시오.

____

WORDS

light [lait] 명 불, 조명, 등
literally [lítərəli] 부 문자 그대로
customer [kʌ́stəmər] 명 고객
pitch-black 칠흑 같이 새까만
first of all 우선
waitstaff [wéitstæf] 명 종업원들
entirely [intáiərli] 부 전적으로
blind [blaind] 형 눈이 먼
owner [óunər] 명 주인
taste [teist] 명 맛
distracting [distrǽktiŋ] 형 마음을 산란케 하는
sense [sens] 명 감각
focus on ~에 초점을 맞추다
flavor [fléivər] 명 풍미, 맛
secret [síːkrit] 명 비밀
delicious [dilíʃəs] 형 맛있는

직독직해

They are / all literally / in the dark.

____

The customers cannot see / what they eat.

____

You may ask / yourself / why this is.

____

15 Food Wrap

A taco is a traditional Mexican food and has a soft tortilla for the wrap. A tortilla is filled with beef, pork, chicken, fish, or shrimp. The tortilla was originally a round, flat bread made from corn. (A) Guacamole made from avocado can also be added. (B) But modern tortillas can be made from wheat. (C) Other ingredients that go into a taco include salsa or chili pepper. Vegetables put into a taco include cilantro, diced tomatoes, diced onions, and sliced lettuce.

One style of taco has __________________. Tacos al pastor means a taco of "shepherd style" and it came from Middle Eastern immigrants to Mexico. The shepherd means a shepherd of sheep. But instead of lamb, pork is the usual choice today. The meat is marinated in spices and roasted as one large piece hanging vertically. It is cut into thin slices to make a taco.

The basic idea of a taco was around before Europeans came to Mexico. But the name of the food is recent. The name taco comes from the plug that Mexican silver miners used. To blast an underground tunnel, they would wrap explosives and gunpowder in a paper wrapper. They would then plug it into a hole in the tunnel.

Grammar Note

3, 6행 : by 이외의 전치사를 사용하는 수동태

be filled with는 '~로 채워지다'를 뜻하고, be made from은 '~로 만들어지다'를 뜻함. be made from의 from은 구성물들 사이에서 화학적 변화가 발생할 때 사용.

Those pillows **are filled with** feathers.
저 베개는 깃털로 채워져 있다.

Diamond **is made from** carbon atoms.
다이아몬드는 탄소 원자로 만들어진다.

19행 : 관계대명사 that

관계대명사 that은 사람과 사물에 모두 쓰이며 주격, 목적격으로 다 사용될 수 있음. 목적격인 경우에는 생략 가능.

Have you ever seen a cat **that** enjoys drinking?
당신은 지금까지 술 마시는 걸 즐기는 고양이를 본적이 있나요? (주격 역할)

This is the book **(that)** I borrowed from the library yesterday.
이것은 내가 어제 도서관에서 빌렸던 책이다. (목적격 역할, 생략 가능)

정답 p.10

1 이 글의 내용과 일치하는 것은?

① 타코 알 파스토르는 양고기만 사용한다.
② 타코에는 생선이 들어가지 않는다.
③ 유럽인들이 타코 만드는 법을 멕시코에 전파했다.
④ 타코라는 이름의 기원은 멕시코 광부들과 관련 있다.
⑤ 타코는 중동에서 가장 인기 있는 음식이 되었다.

2 이 글의 (A)~(C)를 글의 흐름에 맞게 배열한 것은?

① (A)–(B)–(C)
② (A)–(C)–(B)
③ (B)–(A)–(C)
④ (B)–(C)–(A)
⑤ (C)–(B)–(A)

3 이 글의 빈칸에 들어갈 말로 가장 알맞은 것은?

① social support
② regional growth
③ foreign influence
④ natural development
⑤ international standards

4 이 글의 밑줄 친 blast와 의미가 가장 가까운 것은?

① blow up
② hang up
③ bring up
④ fix up
⑤ hold up

WORDS

wrap [ræp] 명 싸개, 얇고 납작한 빵
traditional [trədíʃənəl] 형 전통적인
tortilla [tɔːrtíːjə] 명 토르티야
be filled with ~로 가득 차다
flat [flæt] 형 평평한
wheat [wiːt] 명 밀
ingredient [ingríːdiənt] 명 재료
go into ~에 들어가다
chili pepper 고추
put into ~에 들어가다
cilantro [silɑ́ːntrou] 명 고수
dice [dais] 동 깍둑 썰기를 하다
shepherd [ʃépərd] 명 양치기
marinate [mǽrənèit] 동 양념장에 재워 두다
spice [spais] 명 양념
roast [roust] 동 굽다
vertically [vəːrtikəli] 부 수직으로
cut into ~을 칼로 자르다
miner [máinər] 명 광부
underground [ʌ̀ndərgráund] 형 지하의
explosive [iksplóusiv] 명 폭발물
gunpowder [gʌ́npàudər] 명 화약
plug into ~에 플러그를 꽂다

직독직해

The tortilla was / originally a round, flat bread / made from corn.

____

It came / from Middle Eastern immigrants / to Mexico.

____

It is cut / into thin slices / to make a taco.

____

16 The Strongest Living Thing

Can you guess what the strongest creature on earth is? Is it a blue whale, the biggest animal in the water? Is it an elephant, the biggest mammal on land? Although those animals are strong, the strongest living thing is an insect small enough to fit into your pocket! An elephant can only lift 25% of its own weight, but the rhinoceros beetle can lift up to 850 times its own weight. Suppose you weigh 36 kg. If you are as strong as a rhinoceros beetle, you can lift 31,000 kg or about 850 of your friends. That's a strong beetle!

Rhinoceros beetles got their name because the male beetles have horns similar to <u>those</u> on rhinoceroses. The insects use their horns to lift debris, such as dead plants and old logs, from the jungle floor. The rhinoceros beetles then bury themselves in the debris to hide from dangerous predators that want to eat them. The beetles also use their horns to fight with other male beetles over food and to attract females. _________ rhinoceros beetles are very strong and look scary, they are not harmful. They do not sting, bite, or hurt people with their horns.

*rhinoceros beetle: 장수풍뎅이

*rhinoceros: 코뿔소

Grammar Note

5, 10행 : that[those]의 의미

that[those]은 앞서 언급된 대상을 다시 언급하거나, 앞서 언급된 대상과 같은 종류의 사람이나 사물을 말할 때 사용함.

You shouldn't have said things like **that**.
너는 그런 말을 하면 안 되는 거였어.

<u>Graduates</u> from prestigious schools do not necessarily earn more than **those**<u>[=graduates]</u> from technical schools.
명문학교 졸업생들이 기술학교 졸업생들에 비해서 꼭 돈을 더 많이 버는 것은 아니다.

10, 13행 : 등위접속사

and, or는 등위접속사이며 문법적으로 대등한 문장 성분을 연결함. 단어는 단어끼리, 구는 구끼리, 절은 절끼리 연결됨.

I usually <u>listen to music</u> **or** <u>read books</u> on weekends.
나는 주말에 주로 음악을 듣거나 책을 읽는다. (동사–동사)

Tom enjoys <u>watching TV</u> **and** <u>listening to music</u>.
톰은 TV시청 및 음악 감상을 좋아한다. (동명사–동명사)

정답 p.11

1 장수풍뎅이에 대한 내용과 일치하지 않는 것은?

① 뿔로 사람을 찌르지 않는다.
② 서열을 정하기 위해 뿔로 싸운다.
③ 자기 무게의 800배 이상을 들 수 있다.
④ 뿔을 이용해서 죽은 식물을 들어 올린다.
⑤ 사람의 주머니에 들어갈 만큼 작은 생물이다.

2 이 글의 밑줄 친 those가 가리키는 것은 무엇인가?

① horns
② debris
③ insects
④ rhinoceros
⑤ male beetles

3 이 글의 빈칸에 들어갈 말로 가장 알맞은 것은?

① When
② Because
③ As long as
④ Therefore
⑤ Even though

4 장수풍뎅이가 부스러기 속에 자신을 묻는 이유를 우리말로 쓰시오.

____

WORDS

creature [kríːtʃər] 명 생물
blue whale 흰긴수염고래
mammal [mǽməl] 명 포유동물
although [ɔːlðóu] 접 ~이긴 하지만
fit into ~에 꼭 들어맞다
horn [hɔːrn] 명 뿔
debris [dəbríː] 명 부스러기
bury [béri] 동 묻다, 매장하다
predator [prédətər] 명 포식자
attract [ətrǽkt] 동 마음을 끌다
scary [skéri] 형 무서운, 겁 많은
harmful [háːrmfl] 형 해로운
sting [stiŋ] 동 쏘다, 찌르다
bite [bait] 동 물다

직독직해

Can you guess / what / the strongest creature / on earth / is?

____

The rhinoceros beetles then bury / themselves / in the debris.

____

They do not sting, / bite, or hurt people / with their horns.

____

Review Test

정답 p.11

[1~2] 밑줄 친 단어와 반대 의미의 단어를 고르시오.

1 He put a flat piece of wood on the table.

① round ② narrow ③ wide ④ heavy ⑤ uneven

2 The ball dropped vertically to the ground.

① calmly ② clearly ③ harshly ④ horizontally ⑤ fast

[3~5] 빈칸에 알맞은 단어를 〈보기〉에서 찾아 쓰시오.

보기	blind	underground	distracting	attract	creature

3 The ____________ water is not clean enough to drink.

4 Jerry says he himself has seen an alien ____________, but no one believes that.

5 I couldn't concentrate on my homework. The TV noises were really ____________.

6 밑줄 친 부분의 쓰임이 다른 하나를 고르시오.

① My uncle suggested that I read the book.
② It is necessary that you stop unhealthy habits.
③ We were surprised by the fact that he started a new business.
④ Is that the boy that Jane met at the party?
⑤ I believe that I have made a right choice.

[7~8] 밑줄 친 부분을 어법에 맞게 고쳐 쓰시오.

7 I saw some dolphins to swim in the sea.

____

8 They didn't have no tickets.

____

[9~10] 우리말과 뜻이 같도록 주어진 단어를 배열하여 문장을 완성하시오.

9 타코에 들어가는 다른 재료들에는 살사나 고추가 포함되어 있다.
(go into / include / other ingredients / a taco / salsa or chili pepper / that)

____

10 장수풍뎅이는 자기 무게의 850배까지 들 수 있다.
(850 times / up to / can lift / the rhinoceros beetle / its own weight)

____

05 UNIT

17 Natural Preservation

Herculaneum is a UNESCO World Heritage Site and a tourist attraction. It was buried by the same volcano that buried Pompeii. But it was west of the volcano while Pompeii was south. The volcano destroyed the area south of it more than its other directions. Many buildings collapsed in Pompeii but not at Herculaneum.

At its height, Herculaneum had 20,000 people. There were homes, restaurants, public baths, a gymnasium, and a temple. Because the city was on the coast, many homes were right by the water. One of them is the Villa of the Papyri. It may have been the home of the father-in-law of Julius Caesar.

Herculaneum is still being carefully uncovered. (A) So workers are careful not to disturb those homes where residents currently live. (B) And the modern-day houses in the area can be weakened from all the digging. (C) This is because once the ancient buildings are exposed, they're damaged by weather or tourists.

*Herculaneum: 헤르쿨라네움
*UNESCO World Heritage Site: 유네스코 세계 문화유산 보호 지역

Grammar Note

13행 : may[might] have p.p.

may[might]는 현재나 미래 사실에 대한 약한 추측을 나타내는 반면 과거 사실에 대한 추측은 may[might] have been으로 나타냄.

She **may[might] have left** Korea.
그녀는 한국을 떠났을지도 모른다. (과거에 대한 추측)

She **may[might] leave** Korea soon.
그녀는 곧 한국을 떠날지도 모른다. (미래에 대한 추측)

18행 : 부사절 접속사 once

once는 '일단 ~하면'의 의미로, as soon as와 같은 의미를 나타냄.

Once I'm in bed, I fall asleep very fast.
나는 일단 잠자리에 들면 빨리 잠이 든다.

As soon as the movie began, Mike turned pale.
영화가 시작하자마자 마이크는 얼굴이 창백해졌다.

정답 p.12

1 **Herculaneum에 대한 내용과 일치하지 않는 것은?**

① 현재에도 사람들이 살고 있다.
② 대중이 이용할 수 있는 극장이 있었다.
③ 과거에 화산에 의해 피해를 입었다.
④ 줄리어스 시저의 장인이 거주했을지도 모른다.
⑤ 유네스코에 등록된 관광 명소이다.

2 **Herculaneum이 Pompeii보다 화산 피해가 더 적었던 이유는 무엇인가?**

① 바닷물의 보호를 받았기 때문에
② 살고 있는 주민의 수가 더 적었기 때문에
③ 사람들이 더 협동심이 강했기 때문에
④ 폼페이와 다른 방향에 위치했었기 때문에
⑤ 건물들이 더 튼튼하게 설계되었기 때문에

3 **이 글의 밑줄 친 height와 의미가 가장 가까운 것은?**

① peak
② center
③ corruption
④ flight
⑤ extinction

4 **이 글의 (A)~(C)를 글의 흐름에 맞게 배열한 것은?**

① (A)–(B)–(C)
② (B)–(A)–(C)
③ (B)–(C)–(A)
④ (C)–(A)–(B)
⑤ (C)–(B)–(A)

WORDS

natural [nǽtʃərəl] 형 자연의
preservation [prèzərvéiʃən] 명 보존, 보호
heritage [héritidʒ] 명 유산
tourist attraction 관광 명소
bury [béri] 동 묻다, 매장하다
volcano [vɑlkéinou] 명 화산
destroy [distrɔ́i] 동 파괴하다
direction [dirékʃən] 명 방향
collapse [kəlǽps] 동 붕괴하다
public bath 공중목욕탕
gymnasium [dʒimnéiziəm] 명 체육관
temple [témpl] 명 신전, 사원
on the coast 해안에서
father-in-law 장인, 시아버지
uncover [ʌnkʌ́vər] 동 노출하다, 발굴하다
disturb [distə́ːrb] 동 건드리다
currently [kə́ːrəntli] 부 현재
modern-day 현대의, 현재의
expose [ikspóuz] 동 드러내다
damage [dǽmidʒ] 동 손상을 주다

직독직해

It was buried / by the same volcano / that buried Pompeii.

Many buildings collapsed / in Pompeii / but not at Herculaneum.

Workers are careful / not to disturb / those homes.

---

18 Alex, the Talking Parrot

Parrots are large, colorful birds. They are fun to be around because of their clever mimicry. But, are they intelligent? Can parrots perform complex tasks like mammals? When they talk, do the parrots really know what they are saying?

Scientists have asked these questions for many years. Up until the 1980s, most scientists believed that parrots were very good at mimicry; but were not capable of real communication. Then Dr. Irene Pepperberg, and her African Grey parrot, Alex, changed this view. They spent more than 30 years working together to prove that parrots were much more than just clever imitators and entertainers.

They showed that Alex could really talk or vocalize. His vocabulary was over 150 words, and he could identify at least 50 different objects such as wool, wood, squares, circles, and keys. He could count from 0 to 6 and understood the value of each number. He also identified colors and understood the ________ of "bigger" and "smaller," and "same" and "different."

On September 6, 2007, Dr. Pepperberg had her last conversation with her friend, Alex. She said goodnight to Alex, and he responded, "You be good. I love you." Alex died later that evening. He was 31 years old.

Grammar Note

5행 : 간접의문문의 어순
간접의문문은 [의문사+주어+동사]의 어순을 취함.
I don't know **where she is.**
나는 그녀가 어디 있는지 모른다.

10행 : spend+시간+ - ing
[spend+시간+-ing] '~하는 데 …만큼의 시간을 보내다'라는 의미의 동명사 관용 표현.
I **spent** over 2 hours **looking for** my lost key.
나는 내 잃어버린 열쇠를 찾는 데 2시간 이상을 보냈다.

정답 p.12

1 Alex에 대한 내용과 일치하지 않는 것은?

① 30년 이상을 살았다.
② 언어구사 능력이 있었다.
③ 150개의 사물을 구별했다.
④ 색깔을 알아볼 수 있다.
⑤ 숫자를 셀 수 있는 지능이 있었다.

2 이 글의 밑줄 친 complex와 의미가 가장 가까운 것은?

① plain
② detailed
③ sensitive
④ interesting
⑤ complicated

3 이 글의 밑줄 친 this view가 의미하는 것은?

① 앵무새는 노래를 잘한다.
② 앵무새는 크고 화려하다.
③ 앵무새는 숫자를 셀 수 있다.
④ 앵무새는 인간만큼 오래 산다.
⑤ 앵무새는 인간처럼 대화를 할 수 없다.

4 이 글의 빈칸에 들어갈 말로 가장 알맞은 것은?

① topics
② fictions
③ concepts
④ miracles
⑤ prejudices

WORDS

parrot [pǽrət] 명 앵무새
colorful [kʌ́lərfəl] 형 (색이) 다채로운
mimicry [mímikri] 명 흉내
intelligent [intélidʒənt] 형 지능이 있는, 똑똑한
mammal [mǽməl] 명 포유동물
be capable of ~할 수 있다
prove [pruːv] 동 입증하다
imitator [ímitèitər] 명 모방자
vocalize [vóukəlàiz] 동 입으로 소리를 내다, 말하다
vocabulary [voukǽbjəlèri] 명 어휘
identify [aidéntəfài] 동 식별하다
object [ɑ́bdʒikt] 명 물건, 물체
wool [wul] 명 털실, 양털
value [vǽljuː] 명 가치
respond [rispɑ́ːnd] 동 대답하다

직독직해

They are fun / to be around / because of their clever mimicry.

They spent / more than 30 years / working together / to prove that.

Dr. Pepperberg had / her last conversation / with her friend, Alex.

19 Parlor Game

We don't know exactly who created table tennis. But the sport became popular among British officers in India and South Africa in the late 1800s. The game was originally played in the parlor room of houses. It was an indoor version of lawn tennis which was becoming popular around that time. The English sports company John Jaques & Son in 1898 made the first popular table tennis set. An International Table Tennis Federation (ITTF) was formed in 1926.

The rules of the game are similar ___(A)___ tennis but it is played indoors. It was first played using a golf ball, books as the net, and books as paddles. People later made special paddles ___(B)___ rubber and sponge on the hitting surface. And the ball became a hollow plastic ball.

Olympic table tennis started in 1988. New rules in the 2000 Olympics made the game faster and more exciting. A game used to be up to 21 points. Now it became 11 points. Each player used to serve 5 times before switching. Now they serve only twice before switching. The server has to throw the ball 16 cm in the air. That way, the serve is easier to receive.

Grammar Note

4행 : 주격 관계대명사 which

주격 관계대명사는 형용사절에서 주어 역할을 함. 선행사가 사람이면 who, 사물이면 which를 사용함. (that은 둘 다 가능)

I saw a woman **who** worked in my office.
나는 내 사무실에서 일했던 여자를 봤다.

He is reading a book **which** is about the music industry.
그는 음악 산업에 대한 책을 읽고 있다.

16행 : 조동사 have to

have to는 '~해야 한다'는 의미의 조동사이며, 3인칭 단수 현재형은 has to, 과거형은 had to임.

I **have to** finish my homework today.
나는 오늘 숙제를 끝내야 한다.

I **had to** finish my homework yesterday.
나는 어제 숙제를 끝내야 했다.

She **has to** finish her homework today.
그녀는 오늘 숙제를 끝내야 한다.

정답 p.13

1 탁구에 대한 내용과 일치하는 것은?

① 처음에는 야외의 잔디 위에서 행해졌다.
② 1900년대에 최초의 탁구 세트가 등장했다.
③ 처음에는 골프공을 이용하여 시합을 하였다.
④ 1800년대에 영국의 장교들이 만들었다.
⑤ 고무공 단계를 거쳐 지금은 플라스틱 공을 사용한다.

2 이 글의 밑줄 친 formed와 의미가 가장 가까운 것은?

① united
② confirmed
③ excluded
④ combined
⑤ founded

3 이 글의 빈칸 (A)와 (B)에 들어갈 말로 가장 알맞은 것은?

	(A)	(B)
①	of	by
②	to	with
③	on	in
④	with	to
⑤	at	between

4 올림픽 탁구에 대한 내용과 일치하지 않는 것은?

① 2000년에 새로운 규정이 적용되었다.
② 11점을 먼저 내면 한 경기가 끝난다.
③ 1988년에 처음으로 올림픽에 채택되었다.
④ 현재 각 선수는 다섯 번씩 서브를 번갈아 넣어야 한다.
⑤ 서브할 때 공의 높이는 16센티미터가 되어야 한다.

WORDS

- **exactly** [igzǽktli] 부 정확히
- **popular** [pápjələr] 형 인기 있는, 대중적인
- **originally** [ərídʒənəli] 부 원래
- **parlor** [pá:rlər] 명 응접실, 거실
- **indoor** [índɔ̀:r] 형 실내의
- **version** [vɔ́:rʒən] 명 판, 형태
- **lawn** [lɔ:n] 명 잔디밭
- **international** [ìntərnǽʃənəl] 형 국제적인
- **federation** [fèdəréiʃən] 명 연합, 연맹
- **form** [fɔ:rm] 동 형성되다
- **paddle** [pǽdl] 명 라켓, 노
- **rubber** [rʌ́bər] 명 고무
- **surface** [sɔ́:rfis] 명 표면
- **hollow** [hálou] 형 속이 빈
- **exciting** [iksáitiŋ] 형 흥미진진한, 신나는
- **switch** [switʃ] 동 바꾸다
- **in the air** 공중에
- **receive** [risí:v] 동 받다, 얻다

직독직해

We don't know / exactly / who created / table tennis.

New rules made / the game faster / and more exciting.

That way, / the serve is easier / to receive.

20 Without a Trace

In the past, thieves and robbers had to break into people's houses to steal money or possessions. Police and home alarms helped prevent lots of people from being victims of crimes. Now, the computer age has changed the nature of crime. It is possible for a criminal to take your money or your possessions without ever entering your house. This new kind of crime is known as cybercrime.

Cyber criminals use computers to steal people's information or money. Hackers and identity thieves are two different kinds of cyber criminals. Hackers find ways to get people's personal information. Sometimes this information can be an important secret, like a password. With other people's passwords, hackers can take over websites or steal important business information. Identity thieves steal personal information and then use that information and pretend to be that person. If an identity thief is successful, he or she can use people's information to take money straight from their bank accounts.

__________, people are learning to protect themselves from cybercrime. There are now companies that sell software for computer security, and police around the world are learning new methods to catch this new breed of criminal.

Grammar Note

4행 : help+(to)+동사원형

help는 to부정사를 목적어로 취할 수 있지만, to가 생략된 원형부정사의 형태도 목적어로 취할 수 있음.

Those pills didn't **help (to) relieve** my fever.

그 알약들은 내 열을 내리는 데 도움이 되지 못했다.

13행 : to부정사의 형용사적 용법

to부정사는 앞의 명사를 수식하는 형용사 역할을 함.

Peggy has a lot of work **to do**.

페기는 할 일이 많다.

정답 p.13

1 두 번째 문단의 주제로 가장 알맞은 것은?

① two main types of cybercrime
② preventing property crime
③ stealing online passwords
④ crime in the future
⑤ computer errors

2 이 글의 밑줄 친 prevent와 의미가 가장 가까운 것은?

① erase
② stop
③ deceive
④ check
⑤ remember

3 이 글의 내용과 일치하지 않는 것은?

① 사이버 범죄는 새로운 유형의 범죄이다.
② 사이버 범죄자는 컴퓨터를 이용하여 범행을 저지른다.
③ 컴퓨터 보안용 소프트웨어가 구매 가능하다.
④ 사이버 범죄자는 개인 정보를 빼낼 수 있다.
⑤ 경찰은 사이버 범죄에 대한 대처가 부족하다.

4 이 글의 빈칸에 들어갈 말로 가장 알맞은 것은?

① Shortly
② Absolutely
③ Fortunately
④ Unbelievably
⑤ Unfortunately

WORDS

- **trace** [treis] 명 흔적
- **thief** [θiːf] 명 도둑
- **robber** [rábər] 명 강도
- **break into** (건물에) 침입하다
- **steal** [stiːl] 동 훔치다
- **possession** [pəzéʃən] 명 소유, 소유물(복수)
- **victim** [víktim] 명 피해자
- **crime** [kraim] 명 범죄
- **nature** [néitʃər] 명 본질, 성향
- **criminal** [krímənəl] 명 범인
- **information** [ìnfərméiʃən] 명 정보
- **identity** [aidéntəti] 명 신분
- **personal** [pə́rsənl] 형 개인적인
- **password** [pǽswə̀ːrd] 명 암호
- **take over** 장악하다
- **pretend** [priténd] 동 ~인 척하다
- **bank account** 계좌
- **security** [sikjú(ː)ərəti] 명 보안
- **method** [méθəd] 명 방법
- **breed** [briːd] 명 유형, 품종

직독직해

Now, / the computer age has changed / the nature of crime.

____

Hackers find / ways / to get people's personal information.

____

There are / companies / that sell software / for computer security.

____

Review Test

정답 p.14

[1~2] 밑줄 친 단어와 비슷한 의미의 단어를 고르시오.

1 The police uncovered that the painting was fake.
① argued ② discovered ③ hid ④ drew ⑤ announced

2 The children are learning new vocabulary.
① words ② sentences ③ exams ④ writing ⑤ grammar

[3~5] 빈칸에 알맞은 단어를 〈보기〉에서 찾아 쓰시오.

보기	surface	pretend	collapse	international	robber

3 The UN is the largest ____________ organization in the world.

4 There is a deep scratch on the ____________.

5 The ____________ pushed her to open the safe.

6 **밑줄 친 부분의 쓰임이 다른 하나를 고르시오.**
① I've only met him once.
② I have been to New York once before.
③ She goes to the movies once a week.
④ Once he got a job, he moved out.
⑤ Can you explain it once again?

[7~8] 밑줄 친 부분을 어법에 맞게 고쳐 쓰시오.

7 Everyone may leave the office. All the lights are off.

____

8 Can you tell me what is he doing?

____

[9~10] 우리말과 뜻이 같도록 주어진 단어를 배열하여 문장을 완성하시오.

9 그 스포츠는 인도에서 영국 장교들 사이에서 유명해지게 되었다.
(among British officers / became / the sport / popular / in India)

____

10 경찰은 많은 사람들이 범죄의 희생자가 되는 것을 막아 주었다.
(from / police / lots of people / prevent / helped / being victims of crimes)

____

06 UNIT

21 A Change in Russia

Peter the Great both modernized Russia and expanded its territory. Russia under his rule went from a medieval kingdom in the 1600s to a major European power in the 1700s. From its small kingdom in Moscow, Russia expanded south to the Black Sea and north to the Baltic Sea.

Modernization was done by adopting Enlightenment ideas. Russia's political structure became more like Western Europe. He simplified the number of districts from 166 to 8. European-style clothing and short hair for men were _________. Russians who kept their traditional long hair, beards, and robes were taxed.

Expansion of territory was done by fighting the Ottomans and controlling the Black Sea area. Russia also fought Sweden and gained land on the Baltic Sea. To find more allies for its expansion, Peter the Great traveled to Western Europe in 1697. But this Grand Embassy failed to win many allies. The reason is that France supported the Ottomans and other countries were more worried about choosing the next king for Spain.

*Peter the Great: 표트르 대제
*the Ottomans: 오스만 제국
*the Black Sea: 흑해
*the Baltic Sea: 발트 해

Grammar Note

5, 10행 : 수동태
수동태는 기본적으로 [주어+be동사+p.p.+by 행위자]의 형식을 취함.
I was stung by a bee.
나는 벌에 쏘였다.
(A bee stung me.)

5, 10행 : 수단의 전치사 by
by는 수단을 나타내는 전치사로 '~에 의하여, ~함으로써'라는 의미를 나타냄.
You can control the temperature by adjusting this dial.
너는 이 다이얼을 조정해서 온도를 조절할 수 있다.

정답 p.14

1 **이 글에서 언급되지 않은 내용은 무엇인가?**

① 러시아 정치 구조의 변화
② 러시아와 전투한 국가들
③ 러시아 행정 지역의 변화
④ 러시아의 경제적 상황
⑤ 러시아의 영토 확장 범위

2 **이 글의 빈칸에 들어갈 말로 가장 알맞은 것은?**

① introduced
② banned
③ divided
④ controlled
⑤ blocked

3 **Peter the Great 시대의 흑해 지역에 대한 내용과 일치하는 것은?**

① 서유럽 국가 전체가 공동으로 통치하는 지역이었다.
② 오스만 제국과의 전쟁을 통해 러시아 영토가 되었다.
③ 프랑스와 오스만 제국의 연맹으로 공동 소유지가 되었다.
④ 스페인과 다른 유럽 국가와의 전쟁으로 소유가 계속 바뀌었다.
⑤ 스웨덴과 오스만 제국이 자신의 소유라고 주장하는 지역이었다.

4 **러시아의 근대화는 무엇을 채택하여 이루어졌는지 우리말로 쓰시오.**

____

WORDS

modernize [mádərnàiz] 동 현대화하다, 근대화하다
expand [ikspǽnd] 동 확대하다
territory [téritɔ̀:ri] 명 영토
rule [ru:l] 명 통치
medieval [mì:dií:vəl] 형 중세의
kingdom [kíŋdəm] 명 왕국
modernization [mɑ̀:dərnəzéiʃən] 명 현대화
adopt [ədɑ́pt] 동 채택하다
enlightenment [inláitənmənt] 명 계몽, 계몽 운동
political [pəlítikəl] 형 정치적인
structure [strʌ́ktʃər] 명 구조
simplify [símpləfài] 동 단순화하다
district [dístrikt] 명 지구, 지역
traditional [trədíʃənəl] 형 전통적인
robe [roub] 명 예복
tax [tæks] 동 세금을 부과하다
gain [gein] 동 얻다, 획득하다
ally [ǽlai] 명 동맹국
embassy [émbəsi] 명 사절단
support [səpɔ́:rt] 동 지지하다

직독직해

Russia's political structure / became more / like Western Europe.

____

Russians / who kept their traditional long hair / were taxed.

____

Russia also / fought Sweden / and gained land / on the Baltic Sea.

____

22 Pets in the Future

Have you ever wondered what it would be like to have a robot dog or cat for a pet? Modern technology is making new robot pets all the time. You can buy robot cats, dogs, and even dinosaurs if you want.

Robot pets can walk, recognize spoken commands, and see what is in front of them using a camera for eyes. Some of the robots have infrared communication and detection devices to talk to each other. You can even teach some robot pets new things.

Robot pets use artificial intelligence (A.I.) so they can do many tricks. Even though they probably cannot do as many tricks as a well-trained dog or other animals, who knows what robot pets will be able to do in the future? The latest robot pets have two microphones in their ears so they can hear. They also have special sensors in their feet, so they can balance and walk. They can even dance and listen to music.

Robot pets are not like real pets. You do not have to feed them or take them for walks. I wonder though, if one day a real pet and a robot pet could be good friends.

Grammar Note

5, 10행 : 강조 부사 even

even은 강조를 해 주는 역할을 하며 '~조차'로 해석.

This book is very easy. **Even** children can understand it.
이 책은 매우 쉽다. 어린애들조차 이해할 수 있다.

I can speak many languages. I can **even** speak Hindi.
나는 많은 언어를 말할 수 있다. 나는 힌디어도 심지어 말할 수 있다.

10행 : 수여동사

수여동사는 두 개의 목적어(간접목적어, 직접목적어)를 취함. 수여동사에는 give, send, teach, tell, ask 등이 있음.

I can **teach** you English.
나는 너에게 영어를 가르칠 수 있다.

My father **gave** me some money.
아버지께서 나에게 돈을 좀 주셨다.

정답 p.15

1 이 글의 주제로 가장 알맞은 것은?

① 로봇 애완동물을 연구하는 과학자
② 로봇 애완동물의 가격이 비싼 이유
③ 로봇 애완동물의 뛰어난 인공 지능
④ 로봇 고양이와 로봇 강아지의 차이점
⑤ 성능이 좋은 로봇 애완동물을 고르는 법

2 이 글의 밑줄 친 commands와 의미가 가장 가까운 것은?

① data
② orders
③ reasons
④ devices
⑤ functions

3 로봇 애완동물에 대한 내용과 일치하지 않는 것은?

① 음식을 먹을 필요가 없다.
② 실제 애완동물과 친구처럼 지낸다.
③ 공룡 모양의 애완동물도 있다.
④ 잘 훈련받은 동물보다는 재주를 부리지 못한다.
⑤ 일부 로봇 애완동물은 새로운 것을 배울 수 있다.

4 이 글에서 로봇 애완동물의 기능으로 언급되지 않은 것은?

① vision
② flight
③ hearing
④ communication
⑤ a sense of balance

WORDS

- **wonder** [wʌ́ndər] 동 궁금해하다
- **modern** [mɑ́dərn] 형 현대의
- **all the time** 내내(줄곧)
- **recognize** [rékəgnàiz] 동 알다, 인식하다
- **infrared** [ìnfrəréd] 형 적외선의
- **detection** [ditékʃən] 명 탐지
- **artificial** [ɑ̀ːrtəfíʃəl] 형 인공의
- **intelligence** [intélidʒəns] 명 지능, 정보
- **trick** [trik] 명 재주
- **well-trained** 잘 훈련된
- **be able to** ~할 수 있다
- **sensor** [sénsər] 명 센서
- **balance** [bǽləns] 동 균형을 유지하다
- **take ~ for walk** ~을 산책하러 데리고 가다
- **one day** 언젠가

직독직해

Modern technology is making / new robot pets / all the time.

You can even teach / some robot pets / new things.

You do not have to / feed them / or take them for walks.

23 Life in Motion

The development of movies took place in the 1890s. This was when the motion picture camera was invented. It could continuously shoot a scene using a roll of film. Each frame of the film was a photo taken an instant after the last one. The eye sees the ________ of motion because we remember any image for a very short time.

These first motion picture cameras used one roll of film. (A) So the resulting movie was usually less than a minute long. (B) And it was in black and white and without sound. (C) Later cameras used several rolls of film for one movie. (D) The first such multiple-roll movies appeared around 1906. (E)

As movies got longer, the strips of film began to be edited with cutting and pasting. Then the audience could see several different scenes in one movie. A more complex story could then be told through film. Movies began showing different actions taking place at separate locations.

Grammar Note

3, 6행 : 불가산명사의 수량 표현
불가산명사는 셀 수 없는 명사이므로 가산명사처럼 복수형으로 만들거나 앞에 숫자 표현을 쓸 수 없지만, 단위 명사를 사용해서 수량을 표현함.

film 사진 필름
→ **a roll of** film 필름 한 통

ice cream 아이스크림
→ **two scoops of** ice cream 아이스크림 두 숟가락

11, 14행 : 동명사와 to부정사를 모두 목적어로 취하는 동사
begin, continue, like, love, prefer 등은 to부정사와 동명사를 모두 목적어로 취할 수 있고 똑같은 의미를 나타냄.

It **began** raining. 비가 내리기 시작했다.
(= It **began** to rain.)

We **like** having a picnic. 우리는 소풍 가는 것을 좋아한다.
(= We **like** to have a picnic.)

정답 p.15

1 이 글의 주제로 가장 알맞은 것은?

① 영사기의 수명 기간
② 영화의 발전 과정
③ 영화관의 홍보 수단
④ 다양한 장르의 영화
⑤ 영화 장비 선택의 어려움

2 이 글의 빈칸에 들어갈 말로 가장 알맞은 것은?

① exhibition
② stop
③ spectacle
④ action
⑤ illusion

3 이 글의 내용과 일치하는 것은?

① 최초의 영화는 화면이 흑백이었지만 소리가 났다.
② 영화 필름은 연속된 사진이 연결된 것이었다.
③ 활동사진 카메라는 18세기에 최초로 등장했다.
④ 다중 필름 영화는 관객들에게 인기가 없었다.
⑤ 활동사진 카메라는 1분 안에 영화를 촬영해야 했다.

4 다음 문장이 들어가기에 가장 알맞은 곳은?

> The movie would be interrupted while the next roll of film was placed into the movie projector.

① (A) ② (B) ③ (C)
④ (D) ⑤ (E)

WORDS

development [divéləpmənt] 명 발달, 성장
take place 일어나다
invent [invént] 동 발명하다
a roll of film 필름 한 통
instant [ínstənt] 명 순간, 아주 짧은 동안
result [rizʌ́lt] 동 (~의 결과로) 발생하다
black and white 흑백 영화, 흑백 사진
interrupt [ìntərʌ́pt] 동 중단시키다
projector [prədʒéktər] 명 영사기
multiple [mʌ́ltəpl] 형 많은
appear [əpíər] 동 나타나다
strip [strip] 명 가늘고 긴 조각
edit [édit] 동 편집하다
paste [peist] 동 붙이다
audience [ɔ́ːdiəns] 명 관중
complex [kɑ́mpleks] 형 복잡한
separate [sépərit] 형 따로 떨어진, 따로따로의
location [loukéiʃən] 명 장소

직독직해

It could continuously shoot / a scene / using a roll of film.

Later cameras used / several rolls of film / for one movie.

A more complex story / could then be told / through film.

24 Powerful Lizard

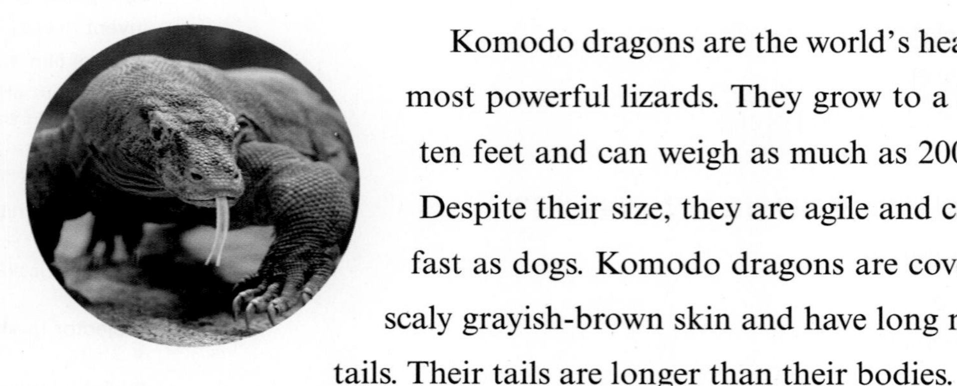

Komodo dragons are the world's heaviest and most powerful lizards. They grow to a length of ten feet and can weigh as much as 200 pounds. Despite their size, they are agile and can run as fast as dogs. Komodo dragons are covered with scaly grayish-brown skin and have long necks and tails. Their tails are longer than their bodies.

The lizards' native habitat is the Indonesian islands of Komodo, Flores and Rinca. There's an interesting thing about this dreadful animal: They live alone! They seek out each other only for breeding. And like other lizards, Komodo dragons are carnivorous, so they will eat almost anything, including carrion, deer, other dragons, and even large water buffalo.

Unfortunately, Komodo dragons have become an _________ species. There are about 4,000-5,000 living Komodo dragons in the wild. Volcanic activity, earthquakes, wild fires, tourism, and poaching of prey species have all contributed to the _________ status of the Komodo dragons. The lizards are now being bred in captivity, but we should keep an eye on their continued existence in the wild.

*komodo dragon: 코모도왕도마뱀

Grammar Note

13, 15행 : species 단 · 복수 같은 형태

species는 생물의 종(種)을 나타내는 단어로, 단수와 복수 모두 species로 쓰임. 복수 동사만 사용하지 않도록 주의해야 함.

The **species** of deer **is** decreasing in numbers recently.
이 종의 사슴은 최근 수가 감소하고 있다. (단수)

There **are** about 30,000 **species** of weeds in the world.
세계에는 약 3만 종의 잡초가 있다. (복수)

17행 : 수동태의 진행형

수동태의 진행형은 [be동사+being+p.p.]의 형태를 취함.

My car **is being repaired**.
내 차는 수리되고 있는 중이다.

They knew she **was being investigated**.
그들은 그녀가 조사받고 있는 중이라는 것을 알았다.

정답 p.16

1 **이 글에서 언급되지 않은 내용은 무엇인가?**

① the prey of Komodo dragons
② the size of Komodo dragons
③ the habitat of Komodo dragons
④ the predators of Komodo dragons
⑤ the population of Komodo dragons

2 **코모도왕도마뱀에 대한 내용과 일치하지 않는 것은?**

① 무리를 지어 살지 않는다.
② 빠른 속도로 달릴 수 있다.
③ 꼬리는 몸통만큼 길지 않다.
④ 비늘 모양의 피부를 갖고 있다.
⑤ 도마뱀 중에서 가장 힘이 세다.

3 **이 글의 밑줄 친 carnivorous와 의미가 가장 가까운 것은?**

① quick
② loyal
③ energetic
④ meat-eating
⑤ marvelous

4 **이 글의 빈칸에 공통으로 들어갈 말로 가장 알맞은 것은?**

① safe
② important
③ increasing
④ careless
⑤ endangered

WORDS

lizard [lízərd] 명 도마뱀
despite [dispáit] 전 ~에도 불구하고
agile [ǽdʒəl] 형 민첩한
scaly [skéili] 형 비늘로 뒤덮인
grayish-brown 회갈색
habitat [hǽbitæ̀t] 명 서식지
dreadful [drédfəl] 형 무시무시한
alone [əlóun] 부 홀로, 단독으로
seek out ~을 찾아내다
breeding [bríːdiŋ] 명 번식
carrion [kǽriən] 명 죽은 동물의 고기
water buffalo 물소
unfortunately [ʌnfɔ́ːrtʃənitli] 부 불행하게도
volcanic [vɑlkǽnik] 형 화산의
earthquake [ə́ːrθkwèik] 명 지진
poaching [póutʃiŋ] 명 밀렵
prey [prei] 명 먹이
contribute to ~에 기여하다
breed in captivity 가두어 기르다
status [stǽtəs] 명 지위, 상황
keep an eye on ~을 계속 지켜보다

직독직해

Despite their size, / they are agile / and can run / as fast as dogs.

There's / an interesting thing / about this dreadful animal.

They seek out / each other / only for breeding.

Review Test

정답 p.16

[1~2] 밑줄 친 단어와 반대 의미의 단어를 고르시오.

1 If you blow a balloon, it will <u>expand</u>.
① go up ② drop ③ shrink ④ shoot ⑤ explode

2 He went out of the studio to use <u>natural</u> light for his photos.
① weak ② strong ③ solar ④ lunar ⑤ artificial

[3~5] 빈칸에 알맞은 단어를 〈보기〉에서 찾아 쓰시오.

보기	multiple	paste	traditional	agile	infrared

3 You can cut and ____________ the text using your mouse.

4 He scored 5 goals, and no one could stop him. He was very fast and ____________.

5 Many Koreans wear ____________ clothes on holidays like Chuseok and Seollal.

6 밑줄 친 부분 중 어법에 맞지 않는 것을 고르시오.

① I began <u>to sing</u>.
② I began <u>singing</u>.
③ I enjoy <u>to listen</u> to music.
④ I enjoy <u>listening</u> to music.
⑤ I prefer <u>to watch</u> movies at home.

[7~8] 밑줄 친 부분을 어법에 맞게 고쳐 쓰시오.

7 Tigers are <u>more bigger</u> than cats.

____

8 Harry told <u>a funny story me</u> today.

____

[9~10] 우리말과 뜻이 같도록 주어진 단어를 배열하여 문장을 완성하시오.

9 근대화는 계몽사상을 채택하는 것으로 이루어졌다.
(Enlightenment ideas / was done / modernization / by adopting)

____

10 이 도마뱀들은 지금 보호 상태에서 사육되고 있다.
(the lizards / are now / in captivity / being bred)

____

07 UNIT

25 **Massive Planet**
개성 넘치는 우주의 행성들

26 **Vikings in Canada**
고려 시대에 캐나다에서는 무슨 일이?

27 **A Unique Animal**
이 동물의 정체는?

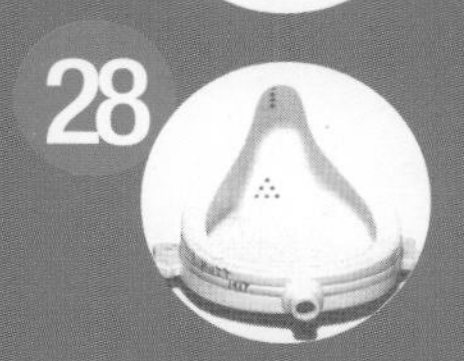

28 **Artistic Vision**
예술에 관한 다양한 시선

25 Massive Planet

Jupiter is the largest planet in our solar system. In fact, it is more than twice as heavy as the weight of all the other planets combined. But it is also very far from the Sun. Therefore its surface temperature is -145 degrees Celsius. Because of this, there are a lot of gases at the surface. This is why the planet is called a gas giant. The planet's spin makes it a flat ball. And ________ Earth orbits the Sun in one year, Jupiter does it in 12 years.

The surface gases are 89% hydrogen and 10% helium. The other 1% give it a white, yellow, red, and brown appearance. One big feature on the surface is the Great Red Spot. It is a large hurricane three times wider than the Earth. It was first seen by the Italian scientist Cassini in 1665. Jupiter also has three thin rings which were discovered in 1979.

Four of the largest moons of Jupiter were discovered by Galileo around 1610. The largest moon Ganymede is bigger than the planet Mercury. There are at least 62 moons, making the planet like a miniature solar system.

*Jupiter: 목성 / Mercury: 수성

*gas giant: 가스성 거대 행성, (목성 · 토성처럼) 가스로 이루어진 거대한 행성

*Great Red Spot: 대적점(大赤點), 목성 표면의 적갈색 소용돌이

Grammar Note

1행 : 최상급 표현+전치사 in/ of

비교 대상이 셋 이상일 때 형용사나 부사의 최상급 표현을 쓰며 최상급 다음에 오는 전치사 in 뒤에는 단수명사(장소, 범위), of 뒤에는 다른 비교 대상인 복수명사가 나옴.

Brian is the richest man in this village.
브라이언은 이 마을에서 가장 부자이다. (in+단수명사)

Brian is the richest man of our classmates.
브라이언은 우리 반 친구 중에서 가장 부자이다. (of+복수명사)

2, 13행 : 비교급+than

접속사 than은 형용사나 부사의 비교급 뒤에서 '~보다, ~에 비하여'라는 의미.

The Nile River is longer than the Han River.
나일 강은 한강보다 더 길다.

Gentle persuasion is more effective than force.
부드러운 설득이 강요보다 더 효과적이다.

정답 p.17

1 목성에 대한 내용과 일치하는 것은?

① 표면 가스는 90% 이상이 수소 성분이다.
② 지구보다 폭이 넓은 허리케인이 존재한다.
③ 1600년대에 세 개의 얇은 고리가 발견되었다.
④ 가장 큰 위성은 태양계의 다른 행성들보다 크다.
⑤ 태양계의 다른 모든 행성들을 합친 무게와 같다.

2 이 글의 빈칸에 들어갈 말로 가장 알맞은 것은?

① if
② until
③ whether
④ while
⑤ because

3 목성의 표면이 다양한 색깔을 갖는 이유는 무엇인가?

① 수소와 헬륨이 서로 뒤섞여 있기 때문에
② 세 개의 고리로부터 열이 방출되기 때문에
③ 많은 위성들이 표면의 빛을 반사하기 때문에
④ 햇빛이 표면 가스에 부딪혀 반응하기 때문에
⑤ 수소와 헬륨 이외에 다른 가스들이 존재하기 때문에

4 목성의 표면 온도가 섭씨 영도 이하인 이유를 우리말로 쓰시오.

____

WORDS

planet [plǽnit] 명 행성
solar system 태양계
combine [kəmbáin] 동 결합하다
temperature [témpərətʃər] 명 온도
surface [sə́ːrfis] 명 표면
spin [spin] 명 회전
orbit [ɔ́ːrbit] 동 궤도를 돌다
hydrogen [háidrədʒən] 명 수소
helium [híːliəm] 명 헬륨
appearance [əpí(ː)ərəns] 명 외관
feature [fíːtʃər] 명 특징
ring [riŋ] 명 고리
discover [diskʌ́vər] 동 발견하다
moon [muːn] 명 (행성의) 위성, 달
miniature [míniətʃər] 형 축소된, 아주 작은

직독직해

Because of this, / there are / a lot of gases / at the surface.

____

It is / a large hurricane / three times wider / than the Earth.

____

Jupiter also has / three thin rings / which were discovered / in 1979.

____

26 Vikings in Canada

When did the first Europeans come to America? The most common answer to this question is 1492. But if you ask the people of the Canadian province Labrador, they will probably say 1003.

About a thousand years ago, a lot of Europe was ruled by people called Vikings. The Vikings are well known for stealing and killing, but they are also famous for their skill with boats. There is an old Viking story about a man who went on a boat to a land far across the sea called Vinland. For a long time, people thought that Vinland only existed in stories. That was before people discovered the village at L'Anse Aux Meadows.

In 1960, the world was shocked when an archeologist found an ancient European village in the east part of Canada. In this village there were buildings like the ones the Vikings built, and boats like the ones the Vikings used.

For now, we can say that the first Europeans to come to North America came in 1003, ________ there is another village waiting to be discovered.

Grammar Note

5, 6행 : 원인, 이유의 전치사 for

be known for(~으로 알려져 있다)에서와 같이 전치사 for의 의미는 원인, 이유를 나타냄.

Thomas Edison is well known **for** the creation of the lightbulb.

토마스 에디슨은 전구의 발명으로 잘 알려져 있다.

17행 : to부정사의 수동형

주어가 의미상 to부정사의 행위의 대상일 때 to부정사는 수동태 형태로 표현.

The editing work needs **to be done** by Friday.

편집 업무는 금요일까지 완료되어야 한다.

정답 p.17

1 이 글의 요지로 가장 알맞은 것은?

① 바이킹은 유럽을 떠나 빈랜드에서 새로운 삶을 개척했다.
② 바이킹의 후예들은 아메리카 대륙에 많이 살고 있다.
③ 캐나다에 정착한 바이킹은 뛰어난 건축 기술이 있었다.
④ 아메리카 대륙에 도착한 최초의 유럽인은 바이킹이다.
⑤ 바이킹의 선박 기술은 유럽의 다른 산업에 영향을 주었다.

2 이 글의 밑줄 친 ruled와 의미가 가장 가까운 것은?

① dumped
② rescued
③ delivered
④ attacked
⑤ governed

3 이 글의 빈칸에 들어갈 말로 가장 알맞은 것은?

① although ② while
③ as long as ④ unless
⑤ whether

4 빈칸에 들어갈 말로 가장 알맞은 것은?

Archeologists found __________ proving that the Vikings came to America __________ than Columbus.

① people, sooner ② evidences, later
③ potteries, earlier ④ traces, earlier
⑤ stories, more

WORDS

common [kámən] 형 공통의
province [právins] 명 지방
be well known for ~로 잘 알려져 있다
steal [sti:l] 동 훔치다
be famous for ~로 유명하다
skill [ski:l] 명 기술
for a long time 오랫동안
discover [diskʌ́vər] 동 발견하다
village [víllidʒ] 명 마을
exist [igzíst] 동 존재하다
shocked [ʃa:kt] 형 충격을 받은
archeologist [a:rkiá:lədʒist] 명 고고학자
ancient [éinʃənt] 형 고대의
for now 우선은, 현재로는

직독직해

The most common answer / to this question / is 1492.

____

A lot of Europe / was ruled / by people / called Vikings.

____

People thought / that Vinland only existed / in stories.

____

27 A Unique Animal

A bird is an animal that lays eggs and has a beak, no teeth, and two feet. But there is one kind of animal that lays eggs and has a duck's bill, but it is not a bird! Can you guess what it is?

If you guess the duck-billed platypus, you are correct. The duck-billed platypus is a mammal, not a bird. A mammal is any animal that has hair or fur and feeds milk to its babies. When scientists first discovered this unique animal, they didn't know how to classify it. It took many years before they decided that it had more in common with beavers than with ducks!

This shy animal has other interesting features. The male platypus has a hollow spur on the back of each ankle. The spur is full of venom and is used as a weapon against enemies.

The platypus is 40-60 centimeters long, and lives near the edges of streams and lakes. If you want to see one, you will need to pack a travel bag and take a flashlight. This bizarre creature can only be found in Australia, and like all nocturnal animals, it only comes out at night.

*platypus: 오리너구리

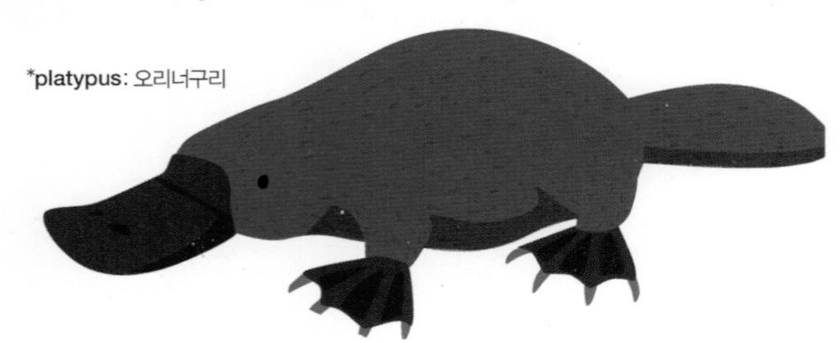

Grammar Note

1, 4행 : 종족 대표 표현
부정관사 a(n)와 정관사 the는 명사와 결합하여 특정 대상 전체를 대표하여 나타냄.

A bird has two wings.
새는 날개 두 개가 있다.

The bicycle is a useful means of transportation.
자전거는 유용한 교통수단이다.

7행 : 의문사+to부정사
의문사로 시작하는 명사절은 [의문사+to부정사]로 간단히 만들 수 있음.

I haven't decided where to go.
나는 어디로 가야 할지 정하지 않았다.

Did he tell you when to start?
그가 너에게 언제 시작하는지 알려 줬니?

정답 p.18

1 이 글의 제목으로 가장 알맞은 것은?

① The Origin of the Duck
② Various Animals in Australia
③ The History of the Mammal
④ A Strange Mammal in Australia
⑤ The Natural Environment of Australia

2 오리너구리에 대한 내용과 일치하지 않는 것은?

① 다른 새처럼 부리가 있다.
② 개울가 근처에서 서식한다.
③ 오리보다는 비버와 비슷하다.
④ 60센티미터만큼 자랄 수 있다.
⑤ 꼬리에 있는 독이 적을 방어한다.

3 이 글의 밑줄 친 classify와 의미가 가장 가까운 것은?

① unite
② observe
③ sort
④ announce
⑤ research

4 오리너구리를 보기 위해 손전등이 필요한 이유를 우리말로 쓰시오.

____

WORDS

- **lay** [lei] 동 (알을) 낳다
- **beak** [biːk] 명 (새의) 부리
- **duck-billed** 오리 주둥이를 가진
- **platypus** [plǽtipəs] 명 오리너구리
- **mammal** [mǽml] 명 포유류
- **discover** [diskʌ́vər] 동 발견하다
- **unique** [juːníːk] 형 독특한
- **have in common** (특징 등을) 공통적으로 지니다
- **feature** [fíːtʃər] 명 특징
- **hollow** [hálou] 형 (속이) 빈
- **spur** [spəːr] 명 동물의 가시, 돌출부
- **venom** [vénəm] 명 독
- **weapon** [wépən] 명 무기
- **enemy** [énəmi] 명 적
- **edge** [edʒ] 명 가장자리, 끝
- **flashlight** [flǽʃlàit] 명 손전등
- **bizarre** [bizáːr] 형 기이한
- **nocturnal** [naktə́ːrnəl] 형 야행성의

직독직해

A mammal is / any animal / that feeds milk / to its babies

____

The spur is used / as a weapon / against enemies.

____

The platypus lives / near the edges / of streams and lakes.

____

28 Artistic Vision

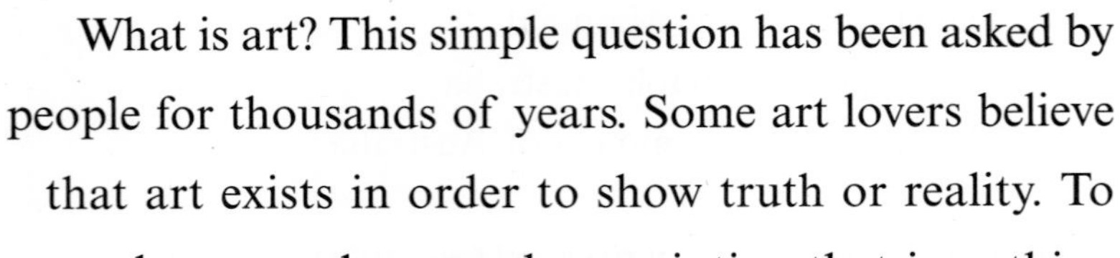

What is art? This simple question has been asked by people for thousands of years. Some art lovers believe that art exists in order to show truth or reality. To these people, a modern painting that is nothing but orange paint on a canvas is not art. For them, a painting must capture life. Others think that art is all about beauty and interpretation. They see any canvas with random colors as art. If it is beautiful, it is art. If it makes you feel something, anything, it is art.

One artist who broadened the definition of art was Marcel Duchamp. In the early 1900s, Duchamp started buying a wide range of miscellaneous items that interested him. He signed the items and put them on display in his art exhibits. For him, almost _________ could be considered art. One of Duchamp's pieces of art is a bicycle wheel on a stool. Another piece of art called Fountain is probably his most famous work. Fountain is a toilet on which Marcel signed his name. Anyone can view Fountain at the San Francisco Museum of Modern Art.

*Marcel Duchamp: 마르셀 뒤샹, 프랑스 화가이며 다다이즘의 중심적 인물

Grammar Note

2, 6행 : Some ~, others ~

전체 구성원 중 일부분에 대해서는 some, 그 일부분을 제외한 나머지는 others로 나타냄.

Some of my friends are Canadians and **others** are Chinese.
내 친구 중 몇 명은 캐나다인이고, 다른 사람들은 중국인이다.

Some people in the picture are musicians and **others** are artists.
사진의 몇몇 사람들은 음악가이고, 다른 사람들은 화가이다.

11행 : start+동명사/ to부정사

start 뒤에는 동명사와 to부정사 모두 목적어로 올 수 있음.

I **started** studying Chinese a few days ago.
(= I **started** to study Chinese a few days ago.)
며칠 전부터 중국어 공부를 시작했다.

You have to **start** working out.
(= You have to **start** to work out.)
너는 운동을 시작해야 한다.

정답 p.18

1 첫 번째 문단의 주제로 가장 알맞은 것은?

① beliefs of art lovers
② strange modern art forms
③ different definitions of art
④ ways to choose good art works
⑤ educational effects of drawing pictures

2 이 글의 밑줄 친 capture와 의미가 가장 가까운 것은?

① rule
② catch
③ master
④ develop
⑤ emphasize

3 Marcel Duchamp에 대한 내용과 일치하지 않는 것은?

① 그의 작품은 미술관에 전시되어 있다.
② 변기를 예술 작품의 소재로 이용했다.
③ 1900년대에 활동한 예술가이다.
④ 귀중품을 수집하는 것이 취미였다.
⑤ 서명한 물건들을 예술 작품으로 전시했다.

4 이 글의 빈칸에 들어갈 말로 가장 알맞은 것은?

① nothing
② anything
③ rare items
④ beautiful things
⑤ complicated stuff

WORDS

- **artistic** [a:rtístik] 형 예술적인
- **simple** [símpl] 형 간단한
- **in order to** ~하기 위해
- **reality** [ri(:)ǽləti] 명 현실
- **modern painting** 현대 회화
- **interpretation** [intə̀:rpritéiʃən] 명 해석
- **random** [rǽndəm] 형 무작위의
- **broaden** [brɔ́:dən] 동 넓히다
- **definition** [dèfəníʃən] 명 정의
- **a wide range of** 다양한
- **miscellaneous** [mìsəléiniəs] 형 여러 가지 종류의
- **interest** [íntərəst] 동 관심을 끌다
- **put ~ on display** ~을 전시하다
- **art exhibit** 미술 전시회
- **stool** [stu:l] 명 의자
- **fountain** [fáuntən] 명 분수
- **view** [vju:] 동 보다

직독직해

Art exists / in order to show / truth or reality.

____

They see / any canvas / with random colors / as art.

____

Fountain is / a toilet / on which Marcel signed / his name.

____

Review Test

정답 p.19

[1~2] 밑줄 친 단어와 비슷한 의미의 단어를 고르시오.

1 My aunt gave my mother a miniature tea set.

① pretty ② cheap ③ old ④ small ⑤ expensive

2 Cobras have very strong venom.

① vision ② smell ③ poison ④ muscle ⑤ teeth

[3~5] 빈칸에 알맞은 단어를 〈보기〉에서 찾아 쓰시오.

보기	feature	broaden	simple	discover	combine

3 Travel helps ____________ your mind.

4 I have a ____________ question for you.

5 You can ____________ two words to make a new one.

6 **밑줄 친 부분의 쓰임이 다른 하나를 고르시오.**

① Who first invented the car?
② Can you open the window?
③ The dog is man's best friend.
④ The spider has eight legs.
⑤ The lion belongs to the cat family.

[7~8] 밑줄 친 부분을 어법에 맞게 고쳐 쓰시오.

7 Tommy has the biggest foot in my friends.

____

8 The washing machine needs to fix.

____

[9~10] 우리말과 뜻이 같도록 주어진 단어를 배열하여 문장을 완성하시오.

9 이 수줍음 많은 동물에게는 다른 흥미로운 특징이 있다.
(has / other interesting / features / this shy / animal)

____

10 다른 사람들은 예술이 아름다움과 해석에 대한 모든 것이라고 생각한다.
(think that / others / art is / all about / beauty and interpretation)

____

08 UNIT

29 Unknown Civilization

Theory of Atlantis continues to be a mystery to many. It was first mentioned by Plato in his books written around 360 BC. He claimed that it existed 9,000 years before his time. But Plato's books are the only historical record of it. In those books, the founders of Atlantis were half god and half human. They created a mighty nation and a great power to rival Athens.

According to Plato, the people of Atlantis were hungry for power and started a war with Athens. In the end, Atlantis lost this war. Later the gods became upset with their arrogance and sent an earthquake to destroy it. Atlantis sank into the Atlantic Ocean in one day.

There are many ideas about __________________. Some think Atlantis is the present-day island of Santorini which had a volcanic eruption around 1600 BC. Some think it was an island in the Atlantic Ocean far from Greece. Others believe Plato just made it up to illustrate his philosophy, loosely basing it on stories from Egypt.

*Plato: 플라톤, 고대 그리스의 철학자

*The Atlantic Ocean: 대서양

Grammar Note

8행 : 지시대명사 these와 those

지시대명사는 가까이 있거나 멀리 있는 대상을 가리키는 것으로 this(이것)와 that(저것)이 있음. This의 복수형은 these, that의 복수형은 those임.

I wish **those** boys over there would stop talking.
저쪽에 있는 저 남자 아이들이 잡담 좀 그만했으면 좋겠다.

These games were made by young women.
이 게임들은 젊은 여성들에 의해 만들어졌다.

17행 : [동사+부사]로 이루어진 구동사의 목적어 위치

[동사+부사] 형식의 구동사는 목적어가 명사일 경우 부사 앞뒤에 올 수 있지만, 목적어가 대명사일 경우 동사와 부사 사이에만 위치할 수 있음.

Please **take off** your shoes. (= Please **take** your shoes **off**).
신발을 벗으세요.

Please **take** them **off**.
그것들을 벗으세요.
(X) Please **take off** them.

정답 p.19

1 이 글에서 언급되지 <u>않은</u> 내용은 무엇인가?

① 아틀란티스가 멸망한 이유
② 아틀란티스를 건설한 인물
③ 아틀란티스의 종교적 신념
④ 아틀란티스와 전쟁한 국가
⑤ 아틀란티스가 사라진 장소

2 이 글의 밑줄 친 <u>claimed</u>와 의미가 가장 가까운 것은?

① denied ② rejected
③ guessed ④ insisted
⑤ concluded

3 이 글의 빈칸에 들어갈 말로 가장 알맞은 것은?

① where Atlantis was
② how Atlantis was built
③ who destroyed Atlantis
④ why Atlantis prospered
⑤ when Atlantis disappeared

4 이 글의 밑줄 친 <u>it</u>이 가리키는 것은 무엇인가?

① Greece
② Atlantis
③ his philosophy
④ the Atlantic Ocean
⑤ the volcanic eruption

WORDS

civilization [sìvəlizéiʃən] ⓜ 문명
mention [ménʃən] ⓢ 언급하다
historical [históː(ː)rikəl] ⓗ 역사적인
record [rékərd] ⓜ 기록
founder [fáundər] ⓜ 시조
mighty [máiti] ⓗ 강력한
nation [néiʃən] ⓜ 국가
according to ~에 의하면
in the end 결국, 마침내
upset [ʌpsét] ⓗ 화난, 기분 나쁜
arrogance [ǽrəgəns] ⓜ 오만
earthquake [ə́ːrθkwèik] ⓜ 지진
destroy [distrɔ́i] ⓢ 파괴하다
sink into ~으로 가라앉다
present-day 오늘날의, 현대의
volcanic eruption 화산의 분출
make up 지어내다
illustrate [íləstrèit] ⓢ 설명하다
philosophy [filɑ́səfi] ⓜ 철학
loosely [lúːsli] ⓑ 막연히, 대충
base on ~에 근거를 두다

직독직해

Theory of Atlantis continues / to be a mystery / to many.

Atlantis sank / into the Atlantic Ocean / in one day.

Others believe / Plato just / made it up / to illustrate his philosophy.

---

30 Blackbeard

Have you ever read a story about pirates? Pirates are people who go out on the ocean in boats and steal things from other boats.

One of the most dreaded pirates of all time was an Englishman named Edward Teach who called himself "Blackbeard." He and his crew, aboard the ship Queen Anne's Revenge, terrorized merchant sailors and raided their ships, stealing anything of value. The pirates would then split up the booty, or stolen goods between themselves.

Blackbeard was a cunning pirate. Upon sighting a merchant ship, he would raise that ship's flag so that he would appear friendly. Then, just before ambushing the ship, he would raise the notorious flag of the Jolly Roger, or the skull and crossbones. Blackbeard wore a triangular hat and carried several knives and swords on his belt. He wove cannon fuses into his long hair and lit them to make himself appear to be on fire. He braided long black ribbons into his beard. He was a terrifying sight, and most merchant sailors gave up their ships without a struggle.

The story of Blackbeard inspired the popular Disney series *The Pirates of the Caribbean*, but the real Blackbeard was nothing like the swashbuckling adventurer Captain Jack Sparrow of the movies.

*Jolly Roger: 해적기, 해골에 2개의 대퇴골을 교차시킨 그림이 있는 깃발

Grammar Note

10행 : would vs. used to

과거의 행위를 나타낼 경우 '~하곤 했다'라는 의미로 would와 used to가 둘 다 쓰임. 과거의 존재나 상태를 나타낼 경우에는 used to만 사용.

When I was a child, I **would[=used to]** play with Tom every day.
내가 어렸을 때에는 매일 톰과 놀곤 했다. (과거의 행위)

There **used to** be a supermarket across the street.
길 건너편에 슈퍼마켓이 하나 있었다. (과거의 존재나 상태)

12행 : upon[on] -ing

upon[on] -ing는 '~할 때, ~하자마자'를 의미하는 표현.

On seeing him, I shouted with surprise.
나는 그를 보자마자, 놀라서 소리를 쳤다.
(= When[As soon as] I saw him, I shouted with surprise.)

정답 p.20

1 이 글의 제목으로 가장 알맞은 것은?

① Captain Jack Sparrow
② Why Stealing Is Bad
③ A Pirate from English History
④ How to Steal a Ship
⑤ The Background of Pirate Films

2 이 글의 밑줄 친 split up과 의미가 가장 가까운 것은?

① divide ② save
③ store ④ escape
⑤ deliver

3 빈칸에 들어갈 말로 가장 알맞은 것은?

> Blackbeard was a very __________ pirate, and many ships were __________ by his disguised ship.

① famous, welcomed
② notorious, built
③ sly, invaded
④ powerful, aided
⑤ popular, launched

4 Blackbeard가 언제 해적 깃발을 올렸는지 찾아 우리말로 쓰시오.

____

WORDS

- **pirate** [páiərət] 명 해적
- **dreaded** [drédid] 형 두려운
- **all time** 역대의, 지금껏
- **crew** [kruː] 명 선원
- **aboard** [əbɔ́ːrd] 부 승선하여, 타고
- **terrorize** [térəràiz] 동 공포에 떨게 하다
- **merchant** [mə́ːrtʃənt] 명 상인
- **raid** [reid] 동 습격하다
- **booty** [búːti] 명 전리품
- **cunning** [kʌ́niŋ] 형 교활한
- **upon ~ing** ~하자마자 곧
- **ambush** [ǽmbuʃ] 동 매복했다가 습격하다
- **notorious** [noutɔ́ːriəs] 형 악명 높은
- **weave** [wiːv] 동 짜다, 엮다
- **skull** [skʌl] 명 두개골, 해골
- **crossbones** [krɔ́ːsbòunz] 명 대퇴골 두 개를 교차시킨 도형
- **cannon** [kǽnən] 명 대포
- **fuse** [fjuːz] 명 도화선
- **be on fire** 불타고 있다
- **braid** [breid] 동 땋다, 묶다
- **terrifying** [térəfàiŋ] 형 겁나게 하는
- **struggle** [strʌ́gl] 명 싸움, 투쟁
- **inspire** [inspáiər] 동 영감을 주다
- **swashbuckling** [swɑ́ʃbʌ̀kliŋ] 형 모험적인
- **adventurer** [ədvéntʃərər] 명 모험가

직독직해

Have you ever read / a story / about pirates?

____

He braided / long black ribbons / into his beard.

____

Most merchant sailors gave up / their ships / without a struggle.

____

31 Live Longer

If you want to know how to live a long and healthy life, you may want to talk to the residents of Okinawa. Okinawa, an island which is part of Japan, has a reputation for longevity. It has the world's highest percentage of people over a hundred years old. In Japan, as a whole, about 14 in 10,000 live to be one hundred. In Okinawa, 39 in 10,000 live to see this age.

Scientists are very interested in the reasons for the longevity of the Okinawan people. They have concluded that the diet, genetics, and the clean environment are all responsible for these long and healthy lives. Since most people _________ their environment and inherited traits, scientists have concentrated on the diet.

First, the diet is extremely low in calories. Second, the Okinawans eat lots of green and yellow vegetables. One common vegetable they eat there is a sweet potato. Third, they consume very little meat, eggs, and dairy products. To prove the importance of this diet, scientists have conducted experiments on rats. They fed the rats on a diet similar to the Okinawan diet. The rats lived twice as long as the rats that ate a regular diet.

Grammar Note

5행 : to부정사의 부사적 용법(결과)

to부정사 부사적 용법 중에는 결과(결국 ~하게 되다)의 의미가 있음.

He studied hard only **to fail.**

그는 열심히 공부했지만 낙제했다.

The little boy grew up **to be a scientist.**

그 어린 소년은 자라서 과학자가 되었다.

18행 : 배수 비교

[배수사+as ~ as]는 '~보다 몇 배 더 …한'이라는 의미를 나타냄.

This tree is **twice as tall as** that tree.

이 나무는 저 나무보다 두 배 더 키가 크다.

This string is **three times as long as** that one.

이 끈은 저 끈보다 세 배 더 길다.

정답 p.20

1 이 글의 주제로 가장 알맞은 것은?

① 오키나와 식단의 장점과 단점
② 올바르게 먹는 습관의 중요성
③ 오키나와 사람들이 장수하는 이유
④ 100세까지 장수하기 어려운 원인
⑤ 건강한 생활을 위한 음식 선별 요령

2 이 글의 빈칸에 들어갈 말로 가장 알맞은 것은?

① must improve
② cannot change
③ should respect
④ need to recognize
⑤ don't have to follow

3 오키나와 사람들에 대한 내용과 일치하지 않는 것은?

① 칼로리가 낮은 음식을 먹는다.
② 고구마는 흔히 먹는 음식 중 하나이다.
③ 우유가 들어가는 제품을 즐겨 먹는다.
④ 채소 중에 녹황색 채소를 많이 먹는다.
⑤ 유전은 그들이 장수하는 요인 중 하나이다.

4 이 글의 밑줄 친 They가 가리키는 것은 무엇인가?

① Rats
② Scientists
③ Vegetables
④ Experiments
⑤ Okinawan people

WORDS

healthy [hélθi] 형 건강한
resident [rézidənt] 명 거주자
reputation [rèpjə(:)téiʃən] 명 명성, 평판
longevity [landʒévəti] 명 장수
as a whole 전반적으로
be interested in ~에 관심이 있다
conclude [kənklúːd] 동 결론을 내리다
diet [dáiət] 명 음식, 식습관
genetics [dʒənétiks] 명 유전학, 유전적 특징
be responsible for ~에 책임이 있다
inherited [inhéritid] 형 유전의
trait [treit] 명 특성
concentrate on ~에 집중하다
extremely [ikstríːmli] 부 극도로
consume [kənsjúːm] 동 먹다
dairy product 유제품
conduct [kəndʌ́kt] 동 (특정한 활동을) 하다
experiment [ikspérəmənt] 명 실험, 시도
similar to ~와 비슷한
regular [régjələr] 형 일반적인

직독직해

Okinawa has / a reputation / for longevity.

One common vegetable / they eat there / is a sweet potato.

They fed / the rats / on a diet / similar to the Okinawan diet.

---

32 Special Printers

Have you ever used a printer before? A normal printer uses ink to put pictures and words on a piece of paper. Printers used to be rare, expensive machines that were only used in big businesses, but now they are very common. Today, most people that have a computer also have a printer. But do you know that there is now a kind of printer that makes three dimensional objects?

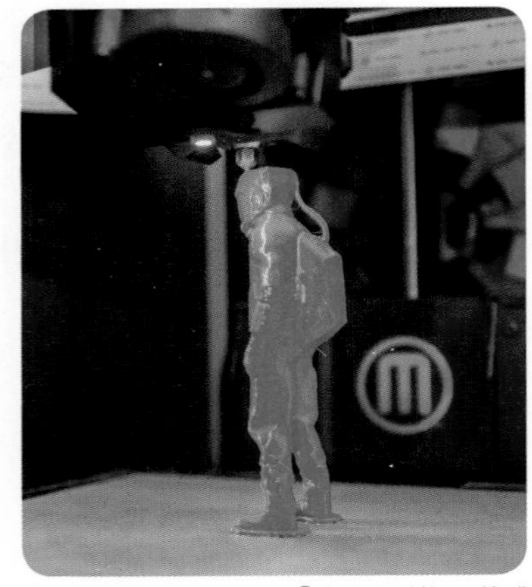

A company in the US has created a printer that uses plastic to print out objects in any shape you want. With this three dimensional printer, a person can make a cup, a plate, a toy airplane, or whatever they want to design. A person only needs to make a design on a computer, and then tell the computer to print it. Three dimensional printers can really change a person's life. If a person has a three dimensional printer, they can get some simple things _________ going to a store to buy them.

Right now, three dimensional printers are expensive. They are mostly used by people who design things every day at work. However, many people think that this kind of technology will soon be common in people's homes.

Grammar Note

1행 : 현재완료 시제의 경험

현재완료 시제는 [have+p.p.] 형태로 나타내고 ever, never, before 등과 함께 쓰여 경험의 의미를 나타냄.

Have you **ever been** to Europe?
지금까지 유럽에 가 본 적 있니?

I **have tried** that kind of food **before**.
나는 전에 그런 종류의 음식을 먹어 본 적이 있다.

6, 8행 : 주격 관계대명사 that

주격 관계대명사는 형용사절에서 주어 역할을 함. 선행사가 사람이든 사물이든 모두 that을 사용할 수 있음.

This is a man **that** thinks outside the box.
이분은 고정된 틀에서 벗어나서 생각할 수 있는 사람이다.

Have you ever seen a cup **that** is taller than you?
여러분보다 키가 큰 컵을 본 적이 있는가?

1 이 글에서 언급되지 않은 내용은 무엇인가?

① 3차원 프린터의 가격
② 3차원 프린터의 사용법
③ 3차원 프린터를 생산하는 과정
④ 3차원 프린터를 이용하는 사람들
⑤ 3차원 프린터로 만들 수 있는 제품

2 3차원 프린터가 물체를 만들기 위해 사용하는 재료는 무엇인가?

① paper
② cloth
③ plastic
④ glass
⑤ stone

3 이 글의 빈칸에 들어갈 말로 가장 알맞은 것은?

① by
② over
③ through
④ among
⑤ without

4 이 글에서 유추할 수 있는 내용은 무엇인가?

① 3차원 프린터는 아직 결함이 많다.
② 3차원 프린터는 사용하기 복잡하다.
③ 3차원 프린터는 젊은 층에게 인기가 있다.
④ 3차원 프린터는 미래에 상용화될 것이다.
⑤ 3차원 프린터는 가격에 비해 성능이 부족하다.

정답 p.21

WORDS

normal [nɔ́:rməl] 형 보통의
ink [iŋk] 명 잉크
rare [rεər] 형 드문
expensive [ikspénsiv] 형 비싼
big business 대기업
common [kámən] 형 흔한
three dimensional 삼차원의, 입체적인
object [ɑ́:bdʒekt] 명 물건, 물체
create [kriéit] 동 만들어 내다
print out 출력하다
in any shape 어떤 형태의 것이든
make a design 도안을 그리다
mostly [móustli] 부 주로
technology [teknάlədʒi] 명 기술

직독직해

Have you ever used / a printer / before?

____

Most people / that have a computer / also have a printer.

____

A person only needs / to make a design / on a computer.

____

Review Test

정답 p.21

[1~2] 밑줄 친 단어와 반대 의미의 단어를 고르시오.

1 The country had a mighty army and conquered the entire continent.
① well-trained ② large ③ weak ④ strong ⑤ small

2 She was so arrogant that no one likes her.
① shy ② modest ③ easy-going ④ smart ⑤ open-minded

[3~5] 빈칸에 알맞은 단어를 〈보기〉에서 찾아 쓰시오.

보기	diet	dairy	terrifying	mostly	notorious

3 The nightmare I had last night was so ___________.

4 My grandparents always try to have a balanced ___________.

5 ___________ products provide plenty of protein and minerals.

6 밑줄 친 부분의 쓰임이 다른 하나를 고르시오.

① He watched a movie to kill some time.
② The boy went to the library to study.
③ She picked up the phone to make a call.
④ I went out to have dinner with friends.
⑤ Emily grew up to be a musician.

[7~8] 밑줄 친 부분을 어법에 맞게 고쳐 쓰시오.

7 I don't believe his story. He made up it!

____

8 There would be a bakery across the street.

____

[9~10] 우리말과 뜻이 같도록 주어진 단어를 배열하여 문장을 완성하시오.

9 아틀란티스는 기원전 360년경에 쓰여진 플라톤의 책에서 그에 의해 처음 언급되었다.
(first mentioned / in his books / was / by Plato / Atlantis / written around 360 BC)

____

10 그 쥐들은 일반적인 음식을 먹은 쥐들보다 두 배가량 오래 살았다.
(lived / the rats / as long as / twice / that / the rats / ate a regular diet)

____

09 UNIT

33 Take a Shot

Some basic rules in basketball are ignored by beginners. For example, there is a 3-second ________ on a player inside the key. The key is the colored rectangle below the basket. A player must take a shot or pass the ball within 3 seconds. If not, the defensive team gets possession of the ball.

Also, the offensive team has to move the ball past the mid-court line within 10 seconds. Once the ball is past this line, it cannot go back again. If it does, the defensive team gets the ball.

A shot from behind the three-point arc is worth 3 points. A shot from inside of it is worth 2 points. If the player's feet were on the line of the arc, then it counts as outside the arc.

Free throws are awarded for a foul by the defensive team. They are taken in front of the key and worth 1 point each. On the last free throw, either team can grab the ball if it misses the basket. Three free throws are awarded if the foul was outside the arc. Two or one is awarded if the foul was inside the arc.

*key: 농구 코트에서 열쇠 모양의 자유투 지역(keyhole)

Grammar Note

7행 : if not/ if necessary/ if possible

if는 if not(그게 아니라면), if necessary(필요하면), if possible(가능하다면)처럼 중복되는 말을 생략하여 사용 가능.

Catch the first train. **If not**, you won't be able to be there in time.

첫 열차를 타라. 그렇지 않으면 거기에 시간 내에 도착할 수 없을 거야.

Please be there early **if possible**.

가능하면 일찍 오도록 하세요.

11행 : 대동사 do

do는 동사의 반복을 피하기 위해 앞에 언급된 동사구를 대신해서 사용. 이때 do는 인칭, 시제에 맞게 do, does, did로 변형해야 함.

I didn't watch the film, but Jennifer **did**(= watched the film).

나는 그 영화를 보지 않았지만 제니퍼는 봤다.

정답 p.22

1 **이 글의 주제로 가장 알맞은 것은?**

① useful skills on the basketball court
② hidden tips for winning in basketball
③ common fouls by basketball beginners
④ some rules in playing basketball
⑤ why basketball is popular among people

2 **이 글의 빈칸에 들어갈 말로 가장 알맞은 것은?**

① stop
② limit
③ space
④ escape
⑤ permission

3 **이 글에 대한 내용과 일치하지 <u>않는</u> 것은?**

① 키 지역은 직사각형 모양으로 되어있다.
② 자유투는 원호 뒤에서 던질 경우 3점이다.
③ 수비 팀이 반칙할 경우에 자유투가 발생한다.
④ 마지막 자유투가 빗나가면 양팀 모두 공을 잡을 수 있다.
⑤ 공격 팀은 10초 이전에는 코트 중앙선을 넘지 않아도 된다.

4 **이 글의 밑줄 친 <u>awarded</u>와 의미가 가장 가까운 것은?**

① thrown
② scored
③ given
④ passed
⑤ bounced

WORDS

rule [ru:l] 명 규칙
beginner [bigínər] 명 초보자
ignore [ignɔ́:r] 동 무시하다
rectangle [réktæ̀ŋgl] 명 직사각형
take a shot 슛을 하다
defensive [difénsiv] 형 방어의, 수비의
get possession of ~을 얻다
offensive [əfénsiv] 형 공격의
go back 돌아가다
arc [ɑ:rk] 명 호
worth [wə:rθ] 형 ~의 가치가 있는
count as ~이라 간주하다
foul [faul] 명 반칙, 파울
grab [græb] 동 잡다
miss [mis] 동 빗나가다

직독직해

Some basic rules / in basketball / are ignored / by beginners.

Once the ball is past this line, / it cannot go / back again.

Three free throws / are awarded / if the foul was / outside the arc.

34 The Austronesians

If you're ever in Hawaii, and you want a glass of water, ask for "wai." That is the Hawaiian word for water. If you go to Fiji, you can still use the word "wai." Why are these words from different countries so _________? Because of the great ancient explorers called Austronesians.

People speak Austronesian languages in Africa, Asia, and the United States because these ancient people traveled the ocean, bringing their language with them. The Austronesians started traveling across the Pacific Ocean over 5,000 years ago.

(A) How these ancient people colonized so much of the world is a mystery. Some Austronesian islands are thousands of miles away from any other island. (B) To travel these large distances with only a small canoe seems impossible to many people today.

(C) Some people think that the Austronesians found distant islands by looking for smoke from volcanoes. (D) When an English explorer named James Cook found Hawaii in 1778 by mistake, he was taken aback to find people in such a remote place. (E) He was even more surprised when the Hawaiian people spoke in a language that his friends from distant places could understand!

Grammar Note

1, 6행 : 전치사구의 역할
전치사구는 부사의 역할을 하기도 하지만, 명사를 수식하는 형용사의 역할도 함.

There is a cabin **in the woods.**
숲 속에 오두막집이 하나 있다. (부사구)

The cabin **in the woods** has been empty for months.
숲 속의 오두막집은 몇 달째 비어 있다. (형용사구)

13, 15행 : 명사절, 준동사구가 주어일 때
명사절이나 준동사구가 주어일 때는 단수 취급하므로 동사는 단수 동사가 옴.

What you need is a good rest.
당신이 필요한 것은 양질의 휴식이다.

Playing card games prevents Alzheimer's diseases.
카드 게임을 하는 것은 알츠하이머병을 예방해 준다.

정답 p.22

1 이 글의 제목으로 가장 알맞은 것은?

① The Origin of the Hawaiian Language
② The Canoes Which Were Built by Austronesians
③ Modern Explorers Who Speak Different Languages
④ People Who Traveled the World a Long Time Ago
⑤ Beautiful Islands in the Pacific Ocean

2 이 글의 빈칸에 들어갈 말로 가장 알맞은 것은?

① similar
② unique
③ awkward
④ friendly
⑤ strange

3 Austronesians에 대한 내용과 일치하는 것은?

① 전 세계에서 그들의 언어가 사용된다.
② 5천 년 전에 태평양 주변에 정착했다.
③ 고대에 많은 지역을 식민지로 만들었다.
④ 카누 만드는 기술을 비밀로 유지했다.
⑤ 한 영국인 탐험가에 의해 최초로 발견되었다.

4 다음 문장이 들어가기에 가장 알맞은 곳은?

> This might be the way that they found Hawaii almost 2,000 years ago.

① (A) ② (B) ③ (C)
④ (D) ⑤ (E)

WORDS

word [wəːrd] 명 단어
ancient [éinʃənt] 형 고대의
explorer [ikspló:rər] 명 탐험가
language [lǽŋgwidʒ] 명 언어
the Pacific Ocean 태평양
colonize [kálənàiz] 동 식민지로 만들다
mystery [místəri] 명 수수께끼
distance [dístəns] 명 거리
impossible [impásəbl] 형 불가능한
distant [dístənt] 형 먼
volcano [valkéinou] 명 화산
by mistake 우연히
be taken aback 깜짝 놀라다
remote [rimóut] 형 외진, 외딴

직독직해

If you go / to Fiji, / you can still use / the word 'wai'.

How / these ancient people colonized / so much of the world / is a mystery.

He was taken aback / to find people / in such a remote place.

---

35 The Louvre

© shutterstock/Kanuman

Established in 1793, the Louvre houses almost 400,000 works of art and displays. These works range from Leonardo da Vinci's masterpiece the *Mona Lisa* to 6,000 year old works by unknown Egyptian artists. The building that houses them has its own unique history and beauty as well.

Built by King Philippe II in the 12th century, the Louvre was originally built as a fortress to protect against possible invasion. By the 16th century, the Louvre was a mixture of old and new buildings and works in progress. Due to ambitious projects under kings Louis XIII and Louis XIV, by the late 17th century the Louvre looked much like it does today. In 1672, King Louis XIV moved to the Palace of Versailles and left the Louvre as a place to display the royal art collection. A year after the French Revolution, the Louvre opened to the public as the national museum.

The building remained largely unchanged for over 300 years. The next major addition to the Louvre came over 300 years later, when I. M. Pei designed an addition which included a huge glass pyramid. Controversial at the time, this addition has proved to be popular, and attendance has doubled in the years following its opening.

Grammar Note

1, 9행 : 문장 맨 앞에 놓인 분사구문

문장 앞에 놓인 분사구문은 주어를 설명하는 형용사절 역할을 하기도 함.

Being famous for his theory of gravity, Isaac Newton worked at the Royal Mint for 30 years.

(= Isaac Newton, who is famous for his theory of gravity, worked at the Royal Mint for 30 years.)

중력 이론으로 유명한 아이작 뉴턴은 30년 동안 영국 조폐국에서 일했다.

8, 19행 : 수의 일치

주어와 동사가 수식어구에 의해서 서로 떨어져 있어도 주어가 단수면 단수형 동사를, 복수면 복수형 동사를 사용함.

The apples in the basket look delicious.

바구니에 담긴 사과는 맛있어 보인다.

The best way to learn about him is to talk with him.

그를 알아 가는 최선의 방법은 그와 이야기하는 것이다.

정답 p.23

1 루브르 박물관에 대한 내용과 일치하지 않는 것은?

① 오래된 건물과 새로운 건물이 함께 있다.
② 레오나르도 다빈치의 '모나리자'가 전시되어 있다.
③ 루이 13세가 자신의 소장품을 한동안 전시했다.
④ 프랑스혁명 이후에 일반 대중이 출입할 수 있었다.
⑤ 현재 40만 점에 이르는 예술 작품들이 있다.

2 이 글의 밑줄 친 it이 가리키는 것은 무엇인가?

① the Louvre
② King Louis XIII
③ King Louis XIV
④ the late 17th century
⑤ the Palace of Versailles

3 가장 최근에 루브르 박물관에 세워진 부속 건물은 무엇인가?

① a library
② a gift shop
③ an art gallery
④ a glass pyramid
⑤ a gymnasium

4 루브르 박물관이 세워진 본래의 목적이 무엇이었는지 우리말로 쓰시오.

____

WORDS

- **establish** [istǽbliʃ] 동 설립하다, 세우다
- **house** [haus] 동 보관하다
- **display** [displéi] 명 전시품
- **range from A to B** 범위가 A에서 B까지 이르다
- **masterpiece** [mǽstərpìːs] 명 걸작
- **unknown** [ʌnnóun] 형 무명의
- **originally** [ərídʒənəli] 부 원래
- **fortress** [fɔ́ːrtris] 명 요새
- **invasion** [invéiʒən] 명 침략
- **mixture** [míkstʃər] 명 혼합체
- **in progress** 진행 중인
- **ambitious** [æmbíʃəs] 형 야심 있는
- **open to** ~에 공개하다
- **remain** [riméin] 동 남아 있다
- **largely** [lɑ́ːrdʒli] 부 대체로
- **addition** [ədíʃn] 명 증축 부분
- **controversial** [kɑ̀ntrəvə́ːrʃəl] 형 논란이 많은
- **attendance** [əténdəns] 명 참석, 참석자

직독직해

The building has / its own unique history / and beauty / as well.

____

The Louvre opened / to the public / as the national museum.

____

The building remained / largely unchanged / for over 300 years.

____

36 Is Anybody Out There?

We know there are billions and billions of stars, and there are probably millions or even billions of other planets. For a long time, people have been trying to find out if there is any other life in the universe.

One way of _________ the universe is to send small spaceships called probes to other planets to take pictures. We have sent several probes to Mars. A lot of people thought that there might be some kind of life there but now we can see from the pictures that there are no plants or animals. However, from the photos, we have discovered there is water on Mars.

Although we have sent many probes into space, they haven't traveled very far. The fastest probes can only go about 30,000 miles per hour, so they have not been able to travel outside our solar system.

Maybe a better way of looking for life in space is to use radio signals. Because they travel at the speed of light, it may be possible to find life that is outside our solar system. One group of people, called SETI, listens to the universe every day for signs of life. They hope to get a message one day that says "We are here!"

*Mars: 화성

Grammar Note

4행 : 현재완료 진행형
현재완료 진행형은 어떤 행동이 과거의 특정 시점부터 현재까지 지속될 때 사용함.

Maggie and I **have been preparing for** the birthday party for 2 hours.
매기와 나는 생일 파티를 두 시간째 준비하고 있는 중이다.

7, 14행 : to부정사의 명사적 용법
to부정사는 문장에서 주어, 목적어, 보어로 쓰이는 명사적 역할을 함.

It is exciting **to go** whale watching.
고래 구경은 신이 나는 일이다. (진주어)

I want **to go** whale watching.
나는 고래 구경 가고 싶다. (목적어)

Our next plan is **to go** whale watching.
우리의 다음 계획은 고래 구경 가는 것이다. (보어)

정답 p.23

1 이 글의 요지로 가장 알맞은 것은?

① 지구는 유일한 생명체가 있는 행성이다.
② 우주의 다른 생명체가 지구를 위협할 수 있다.
③ 사람들은 우주에서 다른 생명체를 찾고자 한다.
④ 태양계를 벗어나면 생명체가 존재하지 않을 것이다.
⑤ 다른 행성에 우주선을 보내는 것은 비용이 많이 든다.

2 이 글의 빈칸에 들어갈 말로 가장 알맞은 것은?

① changing
② escaping
③ disturbing
④ exploring
⑤ controlling

3 이 글에서 유추할 수 있는 내용은 무엇인가?

① SETI는 엄청난 인원의 조직이다.
② 화성의 생명체는 곧 발견될 것이다.
③ 빛의 속도는 시속 3만 마일보다 빠르다.
④ 무인 우주 탐사선은 개발 기간이 길다.
⑤ 과학자들은 우주의 행성의 개수를 안다.

4 이 글의 밑줄 친 looking for와 의미가 가장 가까운 것은?

① locking
② hanging
③ inventing
④ reaching
⑤ searching

WORDS

- **billion** [bíljən] 명 10억, 막대한 수
- **probably** [prάːbəbli] 부 아마
- **million** [míljən] 명 100만
- **planet** [plǽnit] 명 행성
- **for a long time** 오랫동안
- **find out** 발견하다
- **universe** [júːnəvə̀ːrs] 명 우주
- **spaceship** [spéisʃìp] 명 우주선
- **probe** [proub] 명 무인 우주 탐사선
- **take a picture** 사진을 찍다
- **send** [send] 동 보내다
- **solar system** 태양계
- **radio signal** 무선 신호
- **sign** [sain] 명 신호, 징후

직독직해

We have sent / several probes / to Mars.

From the photos, / we have discovered / there is water / on Mars.

It may be possible / to find life / that is / outside our solar system.

Review Test

정답 p.24

[1~2] 밑줄 친 단어와 비슷한 의미의 단어를 고르시오.

1 I grabbed the bat and practiced my swing.
① broke ② put ③ hit ④ held ⑤ threw

2 The museum houses over 500 paintings.
① sells ② shows ③ collects ④ protects ⑤ has

[3~5] 빈칸에 알맞은 단어를 〈보기〉에서 찾아 쓰시오.

보기	planet	mixture	remote	ignore	ambitious

3 The ____________ leader finally became the president of the country.

4 Do you think humans will live on another ____________ in the future?

5 The hospital is ____________ from the city.

6 **밑줄 친 부분의 쓰임이 다른 하나를 고르시오.**
① Kevin doesn't like broccoli.
② Did you know that he wouldn't show up?
③ I don't know what to say.
④ Does she have a job?
⑤ I didn't eat the pizza. Jerry did.

[7~8] 밑줄 친 부분을 어법에 맞게 고쳐 쓰시오.

7 Playing board games are fun.

____

8 The children in the classroom is very quiet.

____

[9~10] 우리말과 뜻이 같도록 주어진 단어를 배열하여 문장을 완성하시오.

9 일부 오스트로네시아 섬들은 다른 섬과 수 천 마일 떨어져 있다.
(thousands of miles away / are / from / some Austronesian islands / any other island)

____

10 우주를 탐험하는 한 가지 방법은 작은 우주선을 다른 행성으로 보내는 것이다.
(to send small spaceships / one way / is / exploring the universe / to other planets / of)

____

10 UNIT

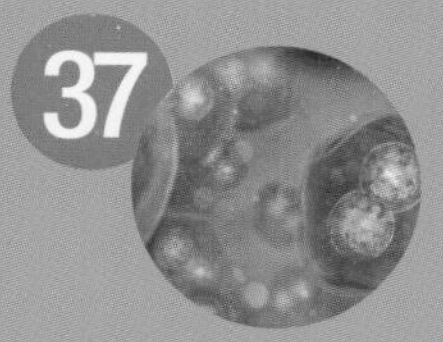

37 The Smallest Things
우리도 세포였어

38 Music is My Life
나를 좌지우지하는 음악

39 Giant Trees
너무도 미국스러운 나무

40 Extreme Stunts
절대 따라 하지는 맙시다!

37 The Smallest Things

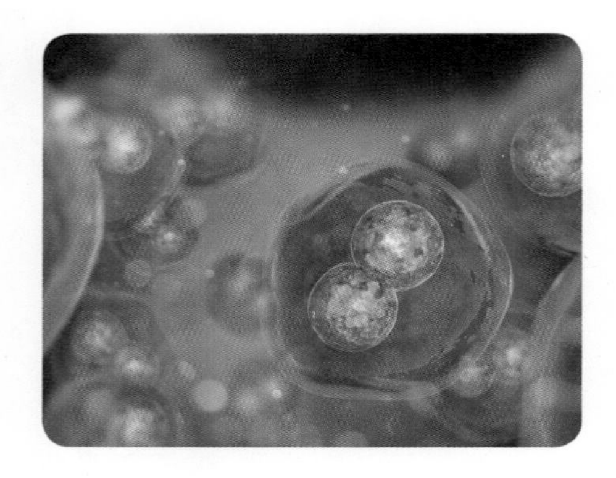

Cells are the smallest parts of all life. All living things have them. They are visible only under a microscope. They were first discovered more than 300 years ago after the invention of the microscope. Cells have several parts inside them, each with their own covering. One example is the cell nucleus. The nucleus helps cells divide into new cells. There are two main types of cells: plant cells and animal cells.

Plant cells are rectangular and do not change shape. They can be 10 to 100 micrometers across. They absorb sunlight and convert it into energy. They have a ___(A)___ cell wall for extra stability and protection, not a ___(B)___ covering. Plant cells can be root cells, leaf cells, flower cells, and others.

Animal cells are round and can change shape. They can be 10 to 30 micrometers across. They do not absorb sunlight. They get their energy from the food the animal eats. Different types of animal cells include skin cells, muscle cells, blood cells, and more.

*micrometer: 마이크로미터(100만분의 1미터, 0.001밀리미터)

*cell nucleus: 세포핵

Grammar Note

8행 : 5형식 동사 help

help는 목적어와 목적보어를 취할 수 있는데, 목적보어는 to부정사가 올 수 있고 to가 생략된 원형부정사 형태로 쓰일 수도 있음.

Can you **help** me (to) carry those boxes?
저 상자들을 나르는 것 좀 도와줄래?

The man **helped** them (to) find the missing child.
그 남자는 그들이 실종된 아이를 찾는 것을 도와주었다.

13행 : 목적의 전치사 for

for는 다양한 의미를 갖는데 그중에 '~하기 위해'를 뜻하는 목적의 의미가 대표적임.

All of us had to run **for** our life.
우리 모두 목숨을 지키기 위해 달려야 했다.

For more information, call me at 555-0000.
더 많은 정보를 원하시면 555-0000번으로 전화 주세요.

정답 p.25

1 이 글의 내용과 일치하지 않는 것은?

① 피부 세포는 동물 세포에 속한다.
② 세포는 현미경으로만 관찰 가능하다.
③ 식물 세포는 모양이 자유롭게 변한다.
④ 동물 세포는 햇빛을 흡수하지 않는다.
⑤ 세포는 10마이크로미터만큼 작을 수 있다.

2 이 글에서 제시된 세포핵의 역할은 무엇인가?

① 세포 소멸
② 세포 성장
③ 세포 통합
④ 세포 운반
⑤ 세포 분열

3 이 글의 빈칸 (A)와 (B)에 들어갈 말로 가장 알맞은 것은?

	(A)	(B)
①	straight	round
②	solid	liquid
③	long	short
④	hard	soft
⑤	rough	smooth

4 식물 세포와 동물 세포가 어떻게 에너지를 얻는지 우리말로 쓰시오.

____

____

직독직해

The nucleus helps / cells divide / into new cells.

____

They absorb / sunlight / and convert it / into energy.

____

They get / their energy / from the food / the animal eats.

____

WORDS

cell [sel] 명 세포
visible [vízəbl] 형 눈에 보이는
microscope [máikrəskòup] 명 현미경
discover [diskʌ́vər] 동 발견하다
invention [invénʃən] 명 발명
covering [kʌ́vəriŋ] 명 덮개, 외피
divide into ~으로 나누다
rectangular [rektǽŋgjələr] 형 직사각형의
shape [ʃeip] 명 모양, 형상
absorb [əbsɔ́ːrb] 동 흡수하다
sunlight [sʌ́nlàit] 명 햇빛
convert [kənvə́rt] 동 전환하다, 바꾸다
cell wall 세포벽
extra [ékstrə] 형 추가의
stability [stəbíləti] 명 안정성
protection [prətékʃən] 명 보호
include [inklúːd] 동 포함하다

38 Music is My Life

Listening to music influences your moods. Psychological studies show a number of ways that music affects moods. First of all, music provides entertainment. Music makes you feel happy before you go to meet friends. It makes you feel less bored while doing chores or riding the bus.

Also, music can energize you in the morning and calm you at night. Furthermore, music can distract you from unhappy thoughts. If you are feeling down about a test on which you did poorly, listen to music and think happy thoughts. Moreover, music helps you daydream or remember old memories such as favorite vacations or special holidays. Lastly, music can give you solace, a feeling of comfort when you are sad. Sometimes listening to love songs when you are heartbroken makes you feel less lonely. Music shares your feelings.

Does music always improve your mood? It doesn't always improve mine. Loud heavy-metal music sounds like _________ to me. It makes me feel on edge, or tense. My parents' music makes me restless. I just can't relax because I am so bored with it. Finally, some of the lyrics in music today are too violent and too sexual, and I feel disgusted or embarrassed when I hear them.

Grammar Note

3행 : 관계부사 how(the way that)

how는 방법을 나타내는 관계부사인데, 선행사인 the way와 how 둘 중 하나는 생략되어야 함. how 대신 that이 쓰일 수 있으며 that은 생략 가능.

That's the way (that) things are done.

그게 일이 돌아가는 방식이다.

(= That's how things are done.)

5, 7행 : 5형식 동사 make

make는 목적보어로 명사, 형용사, 동사원형을 취할 수 있음.

I made him a doctor.

나는 그를 의사로 만들었다. (목적보어-명사)

This song makes me happy.

이 노래는 나를 행복하게 한다. (목적보어-형용사)

정답 p.25

1 **이 글의 주제로 가장 알맞은 것은?**

① 음악과 학습 방식의 관계
② 음악이 기분에 미치는 영향
③ 다양한 음악 감상의 필요성
④ 음악과 심리학의 공통된 특징
⑤ 올바른 음악 감상을 하는 법

2 **이 글의 밑줄 친 provides와 의미가 가장 가까운 것은?**

① offers
② spreads
③ disturbs
④ stimulates
⑤ encourages

3 **이 글에서 필자가 주장하는 내용과 다른 것은?**

① 아침에 음악 감상은 기운을 북돋아준다.
② 슬플 때 음악 감상은 편안한 느낌을 준다.
③ 음악 감상은 공상에 빠지는 것을 막아 준다.
④ 친구를 만나기 전 음악 감상은 기분을 좋게 한다.
⑤ 버스를 타고 있을 때 음악 감상은 지루함을 덜어 준다.

4 **이 글의 빈칸에 들어갈 말로 가장 알맞은 것은?**

① blame
② lullaby
③ praise
④ noise
⑤ delight

WORDS

influence [ínfluəns] 동 영향을 주다
psychological [sàikəlάdʒikəl] 형 심리학적인
affect [əfékt] 동 영향을 미치다
entertainment [èntərtéinmənt] 명 기분 전환
do chores 잡다한 일을 하다
energize [énərdʒàiz] 동 활기를 북돋우다
calm [kɑːm] 동 진정시키다
distract [distrǽkt] 동 (주의를) 딴 데로 돌리다
feel down 마음이 울적하다
poorly [púərli] 부 저조하게
daydream [déidrìːm] 동 공상에 잠기다
lastly [lǽstli] 부 마지막으로
solace [sɑːləs] 명 위안, 위로
heartbroken [hάːrtbròukən] 형 비통해하는
improve [imprúːv] 동 개선하다
on edge 안절부절못하는
tense [tens] 형 긴장하는
restless [réstlis] 형 (지루하거나 따분해서) 가만히 못 있는
lyric [lírik] 명 (노래의) 가사
violent [váiələnt] 형 폭력적인
sexual [sékʃuəl] 형 성적인
disgusted [disgʌ́stid] 형 혐오감을 느끼는
embarrassed [imbǽrəst] 형 당황스러운

직독직해

Music makes / you feel happy / before you go / to meet friends.

Furthermore, / music can distract / you / from unhappy thoughts.

Sometimes / listening to love songs makes / you / feel less lonely.

39 Giant Trees

Redwoods are the largest trees on earth. The largest one ever recorded was 115 meters high. One famous redwood tree is so big that an opening was carved through the trunk at ground level. This opening is large enough for a car to drive through!

Northern California is the only place on earth you can find giant redwoods. The bark of redwood trees is a beautiful coppery color. Many of the trees have burns and char scars, however, because of the region's frequent wildfires.

The oldest tree is more than 3,500 years old. The age of a tree is measured by rings. All trees have rings, and usually one ring means one year of life. That means the oldest redwood has more than 3,500 rings.

Redwoods have a big root system. The roots spread up to 270 meters. As year after year goes by, the roots of one tree become attached to those of the other trees. This root structure makes it difficult for the trees to ________. Each tree depends on the strength of its neighbor. Redwoods are truly amazing trees!

*redwood: 미국 삼나무

Grammar Note

5행 : enough+to부정사

[enough+to부정사]는 '~할 만큼 충분한'의 의미로 쓰이며 enough는 형용사, 부사 뒤, 명사 앞에 위치함.

This room is large **enough to hold** 100 people.
이 방은 100명을 수용할 정도로 충분히 크다. (형용사+enough)

I have **enough** money **to buy** a hamburger and a cola.
나는 햄버거와 콜라를 살 만큼 충분한 돈이 있다. (enough+명사)

17행 : 가주어, 가목적어 it

to부정사, 동명사와 같이 길이가 긴 명사구(절)가 주어[목적어]로 쓰일 때 그 자리에 it을 대신 쓰고 진짜 주어[목적어]는 문장 뒤로 보냄. 진주어와 진목적어 대신 쓰인 it을 각각 가주어, 가목적어라고 함.

It is impossible to finish the work by tomorrow.
내일까지 일을 끝내는 것은 불가능하다. (가주어)

Wireless Internet has made **it** possible to access information from anywhere.
무선 인터넷은 어디에서든 정보에 접근하는 것을 가능하게 만든다. (가목적어)

정답 p.26

1 이 글에서 미국 삼나무에 대해 언급되지 않은 내용은 무엇인가?

① 가장 오래된 미국 삼나무
② 미국 삼나무의 서식 장소
③ 미국 삼나무의 평균 수명
④ 가장 키가 큰 미국 삼나무
⑤ 미국 삼나무 껍질의 색깔

2 캘리포니아 북부에 검게 그을린 미국 삼나무가 많은 이유는?

① 야영객들이 모닥불을 피워서
② 근처에 숯 공장이 많아서
③ 근처에 탄광이 많아서
④ 산불이 빈번하게 발생해서
⑤ 나이가 들수록 색깔이 변해서

3 이 글의 빈칸에 들어갈 말로 가장 알맞은 것은?

① burn
② grow
③ climb
④ stand up
⑤ fall down

4 이 글의 밑줄 친 That이 의미하는 것을 우리말로 쓰시오.

____

WORDS

on earth 지구상에서
opening [óupəniŋ] 명 구멍, 틈
carve [kɑːrv] 동 새기다
trunk [trʌŋk] 명 나무의 몸통
ground level 지상
bark [bɑːrk] 명 나무껍질
coppery [kápəri] 형 구릿빛의
burn [bəːrn] 명 화상
char [tʃɑːr] 명 탄 것, 탄 면
scar [skɑːr] 명 흉터, 자국
frequent [fríːkwənt] 형 잦은
wildfire [wáildfàiər] 명 들에 난 불
measure [méʒər] 동 측정하다
ring [riŋ] 명 나이테
root [ru(ː)t] 명 뿌리
spread [spred] 동 뻗다
as year after year goes by 해가 갈수록
attach [ətǽtʃ] 동 붙이다(to)
structure [strʌ́ktʃər] 명 구조
depend on ~에 의존하다
strength [streŋθ] 명 힘

직독직해

This opening is / large enough / for a car / to drive through!

____

The age of a tree / is measured / by rings.

____

Each tree depends / on the strength / of its neighbor.

____

40 Extreme Stunts

© shutterstock/tatiana sayig

How long do you think you could go without food? One day? Three days? A week? How about 44 days? That is exactly what American magician David Blaine did as one of his crazy stunts from September 5th to October 19th, 2003. During this time he was suspended in a glass cube above the Thames River in London. He drank 4.5 liters of water each day but ate nothing.

Extreme stunts like this were not something new to Blaine. He started his career as a street performing magician. His magic tricks were so astonishing that he was given his own TV show – *David Blaine's Street Magic*. Blaine soon became tired of doing regular magic tricks and wanted to test his endurance. He decided he wanted to see how long he could be buried alive. So, on April 5th, 1999, Blaine was buried in a clear coffin under 3.5 meters of water. He stayed there for over seven days without food or water.

Blaine has also set the world record for holding one's breath. The average human can last around one to two minutes without breathing. Blaine was able to hold his breath for an amazing 17 minutes and 4 seconds!

Grammar Note

1행 : 의문사가 있는 간접의문문에 think류의 동사(think, suppose, guess, imagine)가 있는 경우

간접의문문에서 think류의 동사가 있는 경우 의문사는 문장 앞에 위치함.

(O) Who do you **think** he is?
그가 누구일 거라고 생각하니?
(X) Do you think who he is?

11행 : 형용사가 –thing으로 끝나는 단어를 수식할 경우

–thing으로 끝나는 something, anything, nothing 등과 같은 단어는 형용사가 뒤에서 수식함.

Is there **something** wrong?
뭐가 잘못됐니?

Can you recommend **anything** good?
좋은 것으로 추천해 주시겠어요?

정답 p.26

1 이 글의 제목으로 가장 알맞은 것은?

① A Man Who Never Eats Foods
② A Magician Who Does Amazing Stunts
③ A Man Who Always Sleeps in a Coffin
④ A Stunt Man Who Has a Strong Mentality
⑤ A Man Who Has Many World Records

2 이 글의 밑줄 친 suspended와 의미가 가장 가까운 것은?

① forbidden
② stopped
③ hung
④ released
⑤ added

3 이 글에서 유추할 수 있는 내용은 무엇인가?

① 데이비드 블레인의 TV쇼는 그다지 인기가 없었다.
② 누구나 노력하면 데이비드 블레인보다 인기를 얻을 수 있다.
③ 보통 사람은 숨을 쉬지 않고 3분을 버티기 힘들다.
④ 데이비드 블레인은 정육면체 유리를 런던 시로부터 기증받았다.
⑤ 데이비드 블레인은 마술사가 되기 전에 스턴트맨이었다.

4 David Blaine이 자신만의 TV쇼를 진행할 수 있었던 이유를 우리말로 쓰시오.

____

WORDS

exactly [igzǽktli] 부 정확히
magician [mədʒíʃən] 명 마술사
crazy [kréizi] 형 미친, 기이한
stunt [stʌnt] 명 묘기
extreme [ikstríːm] 형 극도의
astonishing [əstániʃiŋ] 형 정말 놀라운
tired of ~에 싫증난
endurance [indjú(ː)ərəns] 명 인내
bury [beri] 동 파묻다, 매장하다
alive [əláiv] 형 살아 있는
coffin [kɔ́(ː)fin] 명 관
set a world record for ~의 세계 기록을 세우다
hold one's breath 숨을 멈추다
average [ǽvəridʒ] 형 평균의

직독직해

How long / do you think / you could go / without food?

____

Extreme stunts / like this / were not / something new / to Blaine.

____

Blaine has also set / the world record / for holding one's breath.

____

Review Test

정답 p.27

[1~2] 밑줄 친 단어와 반대 의미의 단어를 고르시오.

1 The protest suddenly turned violent.

① frequent ② noisy ③ forbidden ④ peaceful ⑤ restless

2 Your essay is poorly written.

① truly ② well ③ extremely ④ exactly ⑤ lastly

[3~5] 빈칸에 알맞은 단어를 〈보기〉에서 찾아 쓰시오.

보기	absorb	microscope	daydream	attach	scar

3 A ___________ is needed to see tiny cells.

4 This cleaning cloth will ___________ water very well.

5 You don't have to live with the ___________ on your face forever.

6 밑줄 친 부분의 쓰임이 다른 하나를 고르시오.

① Her little son always makes her happy.
② The novel made me think about my life.
③ My father made me a pilot.
④ He made me a model airplane.
⑤ I made him write a letter.

[7~8] 밑줄 친 부분을 어법에 맞게 고쳐 쓰시오.

7 The way how you play chess reflects your personality.

____

8 Do you think who will win?

____

[9~10] 우리말과 뜻이 같도록 주어진 단어를 배열하여 문장을 완성하시오.

9 이런 뿌리 구조 때문에 나무는 쓰러지기가 어렵다.
(to fall down / this root structure / difficult / it / for the trees / makes)

____

10 그는 거리 공연 마술사로 일을 시작했다.
(as / he / his career / a street performing magician / started)

____

memo

memo

memo

MP3 바로가기

전면 개정판

THIS

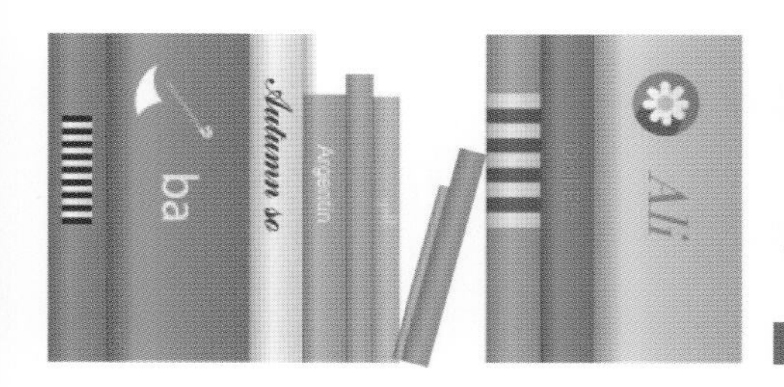

독해의
확실한 해결책

IS

READING

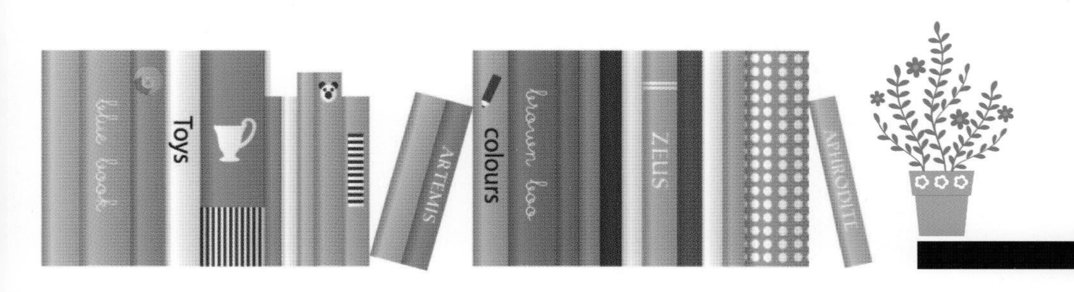

With Workbook
어휘 테스트
통문장 영작
본문 요약 완성

넥서스영어교육연구소 지음

Workbook

2

NEXUS Edu

Unit 01 01 To Hold or Not

A 영어는 우리말로, 우리말은 영어로 쓰시오.

1 method ______________

2 depend on ______________

3 utensil ______________

4 spill ______________

5 intent ______________

6 practical ______________

7 떨어져 나가다 ______________

8 해결하다 ______________

9 게다가 ______________

10 재료 ______________

11 관습 ______________

12 중요한 ______________

B 우리말과 뜻이 같도록 주어진 단어를 사용하여 문장을 완성하시오.

1 돈은 당신의 문제를 해결해 주지 않는다. (money, will, solve, your problems)

____

2 가방을 두 개씩 갖고 다니는 건 말도 안 된다. (it, make sense, to carry, two bags)

____

3 우리는 한 달에 두 번 모임을 갖는다. (have a meeting, twice a month)

____

C 〈보기〉의 단어를 사용하여 요약된 글을 완성하시오.

보기	hands	meal	size	messy

Hamburgers were originally designed to be eaten with the ____________. But eating them with knife and fork can be less ____________. Sometimes the eating method depends on the ____________ of the burger.

Unit 01 02 Talkative Bacteria

A 영어는 우리말로, 우리말은 영어로 쓰시오.

1 warn ____________

2 send out ____________

3 single-celled ____________

4 illness ____________

5 scream ____________

6 signal ____________

7 ~을 없애 버리다 ____________

8 빛나다 ____________

9 크게 증가하다 ____________

10 특히 ____________

11 위험 ____________

12 생물, 유기체 ____________

B 우리말과 뜻이 같도록 주어진 단어를 사용하여 문장을 완성하시오.

1 그는 사람들에게 물 부족에 대해 경고했다. (warn, people, of a water shortage)

____

2 우리가 쓴 노래는 어때? (what about, the songs, write)

____

3 동물들은 서로 소통할 수 있다. (communicate, with one another)

____

C 〈보기〉의 단어를 사용하여 요약된 글을 완성하시오.

보기	communicate	scream	illnesses	chemical

People commonly think that single-celled bacteria cannot ____________ with each other. But bacteria talk to each other using ____________ signals. Scientists are trying to figure out their language to cure some ____________.

03 Bamboo Forest

A 영어는 우리말로, 우리말은 영어로 쓰시오.

1 climate ____________
2 ferment ____________
3 alike ____________
4 fishing rod ____________
5 adaptable ____________
6 widespread ____________
7 열대의 ____________
8 순, 싹 ____________
9 다양한 ____________
10 무기 ____________
11 대나무 ____________
12 독소 ____________

B 우리말과 뜻이 같도록 주어진 단어를 사용하여 문장을 완성하시오.

1 그 축제는 4월부터 6월까지 열린다. (the festival, be held, from A to B)

____

2 어떤 사람들은 커피를 좋아하지만, 반면에 다른 사람들은 좋아하지 않는다. (some people, while, others)

____

3 그 사과로는 잼을 만든다. (the apples, be made into, jam)

____

C 〈보기〉의 단어를 사용하여 요약된 글을 완성하시오.

보기	animals	bamboo	food	diverse

Bamboo can live in ____________ climates, from cold mountains to tropical regions. Many different ____________ use bamboo for food. Human also use it for ____________ or making things.

04 Mr. Eat-It-All

A 영어는 우리말로, 우리말은 영어로 쓰시오.

1 metal ______________
2 talent ______________
3 swallow ______________
4 rubber ______________
5 thick ______________
6 object ______________
7 탐닉하다 ______________
8 깊은 인상을 주다 ______________
9 유명 인사 ______________
10 먹어 치우다 ______________
11 보통의 ______________
12 수년 간 ______________

B 우리말과 뜻이 같도록 주어진 단어를 사용하여 문장을 완성하시오.

1 너는 이 영화를 보기에는 너무 어리다. (too young, to watch, this movie)

____

2 잭슨은 그림에 재능을 갖고 태어났다. (Jackson, be born, with a talent, for painting)

____

3 김치는 영양가 있는 음식으로 알려져 있다. (Kimchi, be known as, nutritious food)

____

C 〈보기〉의 단어를 사용하여 요약된 글을 완성하시오.

보기	metal	airplane	pizza	thick

People eat strange foods but Michael Lotito can eat ___________, glass or rubber. Doctors say he can do this because his stomach lining is twice as ___________ as normal. He has become famous for eating televisions, furniture, and even an ___________.

Unit 02 05 Heavenly Park

A 영어는 우리말로, 우리말은 영어로 쓰시오.

1 distinctive ______________
2 ceremony ______________
3 regular ______________
4 perform ______________
5 emperor ______________
6 half circle ______________
7 대리석 ______________
8 ~에게 개방된 ______________
9 다시 세우다 ______________
10 층, 막 ______________
11 파괴하다 ______________
12 번개 ______________

B 우리말과 뜻이 같도록 주어진 단어를 사용하여 문장을 완성하시오.

1 그녀는 세계에서 가장 유명한 작가들 중 한 명이다. (one of the most writers, in the world)

____

2 그 영화는 올해 겨울에 관객들에게 공개될 것이다. (movie, open to, the public, this winter)

____

3 앤의 고양이는 쓰러지는 나무에 맞아서 죽었다.
(Ann's cat, from being struck, by the falling tree)

____

C 〈보기〉의 단어를 사용하여 요약된 글을 완성하시오.

보기	rebuilt	thousands	temple	ceremonies

The Temple of Heaven Park in Beijing was used to perform ____________ for Heaven. The park is big enough to have ____________ of trees and room for riding bikes or flying kites. It has the Hall of Prayer for Good Harvests which was ____________ once in 1890.

Unit 02 06 Power to Move Things

A 영어는 우리말로, 우리말은 영어로 쓰시오.

1 technology ____________

2 handicapped ____________

3 recent ____________

4 enable ____________

5 in the future ____________

6 not surprisingly ____________

7 생각 ____________

8 연결하다 ____________

9 장치, 기구 ____________

10 실험 ____________

11 교통, 운송 ____________

12 마술 ____________

B 우리말과 뜻이 같도록 주어진 단어를 사용하여 문장을 완성하시오.

1 나는 그 도구를 사용하는 방법을 알아내기 위해 노력하고 있다.
(try to, figure out, how to, the tool)

____

2 론은 프린터를 컴퓨터에 연결하고 있다. (Ron, connect, the printer, to the computer)

____

3 그는 밤에 잠을 잘 못 잔다. (have trouble, at night)

____

C 〈보기〉의 단어를 사용하여 요약된 글을 완성하시오.

보기	move	thoughts	magic	monkeys

Telekinesis is thought to be ____________ but scientists are trying to get this power. Scientists have already connected the brains of some ____________ to special robotic arms. Humans can also use their thoughts to ____________ a mouse cursor or other things.

Unit 02 07 Hopping About

A 영어는 우리말로, 우리말은 영어로 쓰시오.

1 mob ______________

2 danger ______________

3 mother's milk ______________

4 mascot ______________

5 unofficial ______________

6 pouch ______________

7 물기, 물어뜯기 ______________

8 깡충 뛰기 ______________

9 마구 치다 ______________

10 먹이를 먹다 ______________

11 유대류의 ______________

12 무게가 ~이다 ______________

B 우리말과 뜻이 같도록 주어진 단어를 사용하여 문장을 완성하시오.

1 뉴욕 양키스의 마스코트는 누구니? (who, the mascot, for the New York Yankees)

____

2 영원히 중국을 떠나는 거야? (leave, China, for good)

____

3 사자는 야생에서 약 20년 정도 산다. (lions, live, about, in the wild)

____

C 〈보기〉의 단어를 사용하여 요약된 글을 완성하시오.

보기	only	wild	pouch	grape

Kangaroos are large animals which ____________ live in Australia. They are marsupials so they have a ____________ to carry their babies. Their diet is grass, leaves, and insects. They live for about 7 years in the ____________.

Unit 02 08 The Secret Model

A 영어는 우리말로, 우리말은 영어로 쓰시오.

1 worldwide ______________
2 relative ______________
3 mainly ______________
4 due to ______________
5 merge ______________
6 align ______________
7 자화상 ______________
8 분석하다 ______________
9 수사관, 조사관 ______________
10 칭찬하다 ______________
11 기록하다 ______________
12 주장하다 ______________

B 우리말과 뜻이 같도록 주어진 단어를 사용하여 문장을 완성하시오.

1 그 가수는 카메라 앞에서 포즈를 취한다. (the singer, pose for, the camera)

____

2 제인은 방대한 증거로 자신의 이론을 뒷받침했다.
(Jane, support her theory, with a lot of evidence)

____

3 그 범죄자는 자신의 결백을 주장했다. (the criminal, insist that, innocent)

____

C 〈보기〉의 단어를 사용하여 요약된 글을 완성하시오.

보기	friend	face	puzzled	mother

Leonardo da Vinci painted the Mona Lisa but the model for it has ____________ people. Lillian Schwartz believed that Leonardo painted himself by comparing his ____________ with Mona Lisa's. Another investigator Rina de Firenze insisted that Leonardo had painted his ____________ Caterina.

Unit 03 09 Patterns on the Ground

A 영어는 우리말로, 우리말은 영어로 쓰시오.

1 purpose ______________
2 continue ______________
3 route ______________
4 spiral ______________
5 triangle ______________
6 lizard ______________
7 ~의 밑에 ______________
8 종교의 ______________
9 조약돌, 자갈 ______________
10 그림 ______________
11 해석 ______________
12 형상 ______________

B 우리말과 뜻이 같도록 주어진 단어를 사용하여 문장을 완성하시오.

1 로라와 그녀의 친구는 동시에 사라졌다. (Laura, disappear, at the same time)

____

2 우리는 해변까지 가는 길을 찾으려고 노력하고 있다. (try to, find, a route, to the beach)

____

3 책들이 내 책상 위에 쌓여 있다. (the books, be piled up, on my desk)

____

C 〈보기〉의 단어를 사용하여 요약된 글을 완성하시오.

보기	removed	ground	carved	water

The Nazca Lines of Peru are large drawings of animals and plants on the ____________. They could have been guides to finding ____________ or religious sites. Some were made with piles of stones or ____________ on the ground.

Unit 03 10 A Bug's Life

A 영어는 우리말로, 우리말은 영어로 쓰시오.

1 harmful ____________
2 termite ____________
3 bite ____________
4 mosquito ____________
5 crop ____________
6 produce ____________
7 양초 ____________
8 무당벌레 ____________
9 보통, 대개 ____________
10 꿀벌 ____________
11 해충 ____________
12 ~에 붙다 ____________

B 우리말과 뜻이 같도록 주어진 단어를 사용하여 문장을 완성하시오.

1 일본 사람에 대해 어떻게 생각하니? (what, think of, Japanese people)

____

2 그녀는 천둥소리에 겁이 났다. (be scared, by the thunder)

____

3 이 강의는 영어를 배우는 데 매우 도움이 된다. (this course, helpful, to learn)

____

C 〈보기〉의 단어를 사용하여 요약된 글을 완성하시오.

보기	honey	food	crop	useful

Some insects are scary or bite but others are very ____________ to humans. Honeybees provide us with wax and ____________ and pollinate many flowers. Some insects help us produce food, but other insects are ____________.

Unit 03 11 Clear Beauty

A 영어는 우리말로, 우리말은 영어로 쓰시오.

1 allow ______________
2 block ______________
3 history ______________
4 useful ______________
5 flexible ______________
6 decorative ______________
7 ~을 덮다 ______________
8 구슬 ______________
9 전적으로 ______________
10 재료 ______________
11 전등 갓 ______________
12 주로 ______________

B 우리말과 뜻이 같도록 주어진 단어를 사용하여 문장을 완성하시오.

1 우리 선생님은 내가 패스트푸드를 먹는 것을 허락하지 않는다. (allow, me, to eat)

____

2 우리는 부모님의 사랑을 당연하게 생각한다. (take ~ for granted, our parents' love)

____

3 라이언의 신발은 먼지투성이였다. (Ryan's shoes, be covered with, dust)

____

C 〈보기〉의 단어를 사용하여 요약된 글을 완성하시오.

보기	glass	figurines	windows	popular

____________ has been long used as containers for food or drink. It has also been used for stained glass or home ____________. Today it is used for ____________, vases, eyeglasses, and computers.

Unit 03 12 Aliens Among Us?

A 영어는 우리말로, 우리말은 영어로 쓰시오.

1 astrophysicist ______________

2 life form ______________

3 alien ______________

4 dimension ______________

5 suggest ______________

6 metaphor ______________

7 ~에 관한 한 ______________

8 설명하다 ______________

9 유명한 ______________

10 눈에 보이는 ______________

11 적어도 ______________

12 우주 과학자 ______________

B 우리말과 뜻이 같도록 주어진 단어를 사용하여 문장을 완성하시오.

1 너는 무슨 문제가 있는 것처럼 보인다. (look like, have, a problem)

____

2 나는 네가 무슨 말을 하는지 모르겠다. (have no idea, what, talking about)

____

3 음악에 관한 한 내 여동생은 타고났다. (when it comes to, a natural)

____

C 〈보기〉의 단어를 사용하여 요약된 글을 완성하시오.

보기	visit	dimensions	fish	planets

The space scientist Carl Sagan suggested there is life on other ____________. He also thought extraterrestrials could hide from us in other ____________. We cannot know them just like ____________ cannot know us.

Unit 04 13 Man Against Beast

A 영어는 우리말로, 우리말은 영어로 쓰시오.

1 attract ____________

2 common ____________

3 spear ____________

4 bullfight ____________

5 instance ____________

6 gladiator ____________

7 무기 ____________

8 칼, 검 ____________

9 뿔 ____________

10 경기장 ____________

11 손수건 ____________

12 겨루다 ____________

B 우리말과 뜻이 같도록 주어진 단어를 사용하여 문장을 완성하시오.

1 그 축구 선수는 여전히 무릎 부상과 싸우고 있다.
(the soccer player, still, battle with, a knee injury)

____

2 한 남자의 시체가 공원에서 발견되었다. (the body, of one man, be found, in the park)

____

3 그 유명한 가수는 어제 교통사고가 나서 다쳤다. (famous, be injured, by a car accident)

____

C 〈보기〉의 단어를 사용하여 요약된 글을 완성하시오.

보기	harm	history	foot	found

Bullfighting has a long ____________ and continues today in Spain, Portugal, and Mexico. Fighting the bull on ____________ began in Spain in 1726. France and India have bull leaping. People jump over the bulls but don't ____________ them with weapons.

Unit 04 14 In the Dark

A 영어는 우리말로, 우리말은 영어로 쓰시오.

1 secret	______	7 감각	______
2 flavor	______	8 맛	______
3 customer	______	9 문자 그대로	______
4 owner	______	10 맛있는	______
5 blind	______	11 마음을 산란케 하는	______
6 waitstaff	______	12 ~에 초점을 맞추다	______

B 우리말과 뜻이 같도록 주어진 단어를 사용하여 문장을 완성하시오.

1 시간이 전혀 없다. (there, no time, at all)

____

2 너는 너 자신에게 물어볼 필요가 있다. (need, to ask, yourself)

____

3 네가 가족에 집중한다면, 부모님께서 무척 행복해하실 거야.
(if, focus on, your family, will, very)

____

C 〈보기〉의 단어를 사용하여 요약된 글을 완성하시오.

보기	blind	taste	stronger	lights

Some restaurants in Europe called "In the Dark" have no ____________. The staff are blind people and customers can experience the feeling of being ____________. When people can't see, their senses like smell and taste get ____________.

Unit 04 15 Food Wrap

A 영어는 우리말로, 우리말은 영어로 쓰시오.

1 shepherd ____________

2 gunpowder ____________

3 marinate ____________

4 cilantro ____________

5 explosive ____________

6 traditional ____________

7 수직으로 ____________

8 재료 ____________

9 굽다 ____________

10 고추 ____________

11 광부 ____________

12 양념 ____________

B 우리말과 뜻이 같도록 주어진 단어를 사용하여 문장을 완성하시오.

1 도서관에는 책이 가득하다. (the library, be filled with)

____

2 다니엘은 집에 있지 않고 밖에 나갔다. (Daniel, go out, instead of, stay at home)

____

3 우리 아버지는 컴퓨터에 USB 장치를 꽂는 것에 어려움을 겪는다.
(have trouble, plug, a USB device, into the computer)

____

C 〈보기〉의 단어를 사용하여 요약된 글을 완성하시오.

보기	immigrants	miners	shepherd	tortilla

A taco is a Mexican dish where various ingredients are wrapped in a ____________. Tacos al pastor is one type of taco that came from ____________ to Mexico. The word taco comes from the language of Mexican silver ____________.

Unit 04 16 The Strongest Living Thing

A 영어는 우리말로, 우리말은 영어로 쓰시오.

1 although	______________	7 생물	______________
2 fit into	______________	8 부스러기	______________
3 horn	______________	9 포유동물	______________
4 scary	______________	10 쏘다, 찌르다	______________
5 bury	______________	11 마음을 끌다	______________
6 harmful	______________	12 포식자	______________

B 우리말과 뜻이 같도록 주어진 단어를 사용하여 문장을 완성하시오.

1 나는 그 위험을 감수할 만큼 강하지 않다. (strong, enough, to risk it)

____

2 요즘 린다는 그녀의 몇 벌의 바지가 안 맞는다. (Rinda, can, fit into, some of, these days)

____

3 화이트 데이는 밸런타인데이와 비슷하다. (White Day, be similar to, Valentine's Day)

____

C 〈보기〉의 단어를 사용하여 요약된 글을 완성하시오.

보기	attract	horns	lift	strongest

The rhinoceros beetle is the ____________ animal in the world. This is because it can ____________ up to 850 times its own weight. The male beetles have ____________. The beetles use them to lift things and to fight each other.

Unit 05 17 Natural Preservation

A 영어는 우리말로, 우리말은 영어로 쓰시오.

1 gymnasium ____________

2 temple ____________

3 volcano ____________

4 heritage ____________

5 disturb ____________

6 destroy ____________

7 장인, 시아버지 ____________

8 공중목욕탕 ____________

9 현대의, 현재의 ____________

10 해안에서 ____________

11 현재 ____________

12 손상을 주다 ____________

B 우리말과 뜻이 같도록 주어진 단어를 사용하여 문장을 완성하시오.

1 감기에 걸리지 않게 조심하세요. (be careful to, catch a cold)

____

2 오늘 아침에 내가 머리를 감지 않았기 때문이다. (this is because, wash, this morning)

____

3 헨리의 사무실이 지진에 의해 피해를 입었다.
(Henry's office, be damaged, by the earthquake)

____

C 〈보기〉의 단어를 사용하여 요약된 글을 완성하시오.

보기	volcano	disturb	careful	coast

Herculaneum was buried by the same ____________ that buried Pompeii. But it is better preserved. It is located on the ____________ and has possibly the house of Julius Caesar's father-in-low. People are still uncovering the ancient city but are ____________ about the modern city next to it.

Unit 05 18 Alex, the Talking Parrot

A 영어는 우리말로, 우리말은 영어로 쓰시오.

1 vocabulary ____________
2 intelligent ____________
3 object ____________
4 identify ____________
5 mammal ____________
6 colorful ____________
7 대답하다 ____________
8 흉내 ____________
9 앵무새 ____________
10 모방자 ____________
11 입증하다 ____________
12 털실, 양털 ____________

B 우리말과 뜻이 같도록 주어진 단어를 사용하여 문장을 완성하시오.

1 나는 그가 범죄자라고 믿지 않는다. (believe that, a criminal)

____

2 뱀은 인간을 먹을 수 있다. (snakes, be capable of, humans)

____

3 나는 어제 남동생과 긴 대화를 나누었다. (have a long conversation, with)

____

C 〈보기〉의 단어를 사용하여 요약된 글을 완성하시오.

보기	color	proved	mimicry	vocabulary

Parrots can perform ____________ of sounds and words but can they really communicate? Dr. Irene Pepperberg and her parrot Alex ____________ that parrots could really talk. Alex had a ____________ of 150 words and could understand what he was saying.

Unit 05 19 Parlor Game

A 영어는 우리말로, 우리말은 영어로 쓰시오.

1 surface ______________
2 hollow ______________
3 paddle ______________
4 popular ______________
5 exactly ______________
6 international ______________
7 바꾸다 ______________
8 고무 ______________
9 흥미진진한, 신나는 ______________
10 받다, 얻다 ______________
11 형성되다 ______________
12 실내의 ______________

B 우리말과 뜻이 같도록 주어진 단어를 사용하여 문장을 완성하시오.

1 우리 할머니는 불고기를 더 맛있게 하기 위해서 과일을 조금 첨가한다.
(add, some fruits, in bulgogi, to make it, more delicious)

____

2 나는 어렸을 때 일본에서 살았다. (used to, in Japan, when I was young)

____

3 그것은 고양이와 비슷하게 생겼지만 훨씬 더 크다. (look, similar to, a cat, but, much bigger)

____

C 〈보기〉의 단어를 사용하여 요약된 글을 완성하시오.

보기	indoor	surface	different	hollow

Table tennis is an ____________ version of tennis. The first equipment for table tennis included golf balls but later the ____________ plastic ball was made. Olympic table tennis has ____________ rules to make the game more exciting.

Unit 05 20 Without a Trace

A 영어는 우리말로, 우리말은 영어로 쓰시오.

1 criminal ______________

2 breed ______________

3 take over ______________

4 steal ______________

5 victim ______________

6 information ______________

7 본질, 성향 ______________

8 ~인 척하다 ______________

9 보안 ______________

10 도둑 ______________

11 계좌 ______________

12 신분 ______________

B 우리말과 뜻이 같도록 주어진 단어를 사용하여 문장을 완성하시오.

1 블루베리 주스는 너의 시력이 나빠지는 것을 막을 수 있다.
(blueberry juice, prevent, you, from getting bad eyesight)

____

2 그녀는 자신의 친구를 도울 방법을 찾아보기로 결심했다. (decide, to find, a way, to help)

____

3 미아는 전문가인 척한다. (Mia, pretend to, an expert)

____

C 〈보기〉의 단어를 사용하여 요약된 글을 완성하시오.

보기	protect	house	steal	identity

Thieves used to ____________ from people's homes but now they can do it using computers. Hackers steal personal information and ____________ thieves steal money from bank accounts. Companies sell software to ____________ against these cyber criminals.

Unit 06 21 A Change in Russia

A 영어는 우리말로, 우리말은 영어로 쓰시오.

1 enlightenment ____________
2 political ____________
3 territory ____________
4 support ____________
5 embassy ____________
6 modernize ____________
7 중세의 ____________
8 단순화하다 ____________
9 채택하다 ____________
10 세금을 부과하다 ____________
11 구조 ____________
12 예복 ____________

B 우리말과 뜻이 같도록 주어진 단어를 사용하여 문장을 완성하시오.

1 우리는 독재자의 지배하에 있다. (under, the rule of, a dictator)

____

2 매년 많은 사람들이 인도로 여행을 간다. (many people, travel, to India, every year)

____

3 네가 그 집을 사지 못하면 올리버가 살 것이다. (if, fail to buy, the house, Oliver, try)

____

C 〈보기〉의 단어를 사용하여 요약된 글을 완성하시오.

보기	power	political	modernized	expansion

Peter the Great ruled Russia and ____________ it while expanding its territory. Modernization was done by following Western European ____________ structure and fashion. ____________ was done by fighting the Ottomans and Sweden.

Unit 06 22 Pets in the Future

A 영어는 우리말로, 우리말은 영어로 쓰시오.

1 infrared ____________
2 sensor ____________
3 one day ____________
4 trick ____________
5 well-trained ____________
6 detection ____________
7 지능, 정보 ____________
8 알다, 인식하다 ____________
9 인공의 ____________
10 궁금해하다 ____________
11 내내(줄곧) ____________
12 현대의 ____________

B 우리말과 뜻이 같도록 주어진 단어를 사용하여 문장을 완성하시오.

1 그는 나에게 체스하는 법을 가르쳐 주었다. (teach, me, to play chess)

____

2 나는 다양한 문화에 대해서 배울 수 있었다. (be able to, learn about, different cultures)

____

3 개를 데리고 나가 산책시켰니? (take, for a walk)

____

C 〈보기〉의 단어를 사용하여 요약된 글을 완성하시오.

보기	robot	feed	artificial	real

Modern technology is creating new __________ pets. These pets use cameras, sensors, and __________ intelligence to respond and do tricks. But you don't have to __________ them or take them for walks.

Unit 06 23 Life in Motion

A 영어는 우리말로, 우리말은 영어로 쓰시오.

1 edit	______	7 복잡한	______
2 paste	______	8 나타나다	______
3 multiple	______	9 관중	______
4 invent	______	10 영사기	______
5 take place	______	11 발달, 성장	______
6 result	______	12 장소	______

B 우리말과 뜻이 같도록 주어진 단어를 사용하여 문장을 완성하시오.

1 많은 축제들이 여름 동안 개최된다. (a lot of, festivals, take place, during summer)

____

2 앨리스는 개 100마리와 촬영을 해야 했다. (Alice, have to, shoot a scene, with)

____

3 갑자기 그 환자가 울기 시작했다. (suddenly, the patient, begin)

____

C 〈보기〉의 단어를 사용하여 요약된 글을 완성하시오.

보기	film	camera	separate	complex

Motion pictures became possible after the invention of the motion picture ____________. Early cameras could only use one roll of ____________. Longer rolls of film and editing skills made movies longer and more ____________.

Unit 06 24 Powerful Lizard

A 영어는 우리말로, 우리말은 영어로 쓰시오.

1 unfortunately ____________

2 volcanic ____________

3 agile ____________

4 scaly ____________

5 earthquake ____________

6 lizard ____________

7 무시무시한 ____________

8 번식 ____________

9 ~에 기여하다 ____________

10 밀렵 ____________

11 서식지 ____________

12 ~에도 불구하고 ____________

B 우리말과 뜻이 같도록 주어진 단어를 사용하여 문장을 완성하시오.

1 루시는 남동생만큼 빨리 달릴 수 있다. (Lucy, run, as fast as)

____

2 원숭이의 팔은 다리보다 길다. (a monkey's arms, longer than, its legs)

____

3 나는 사회에 기여하고 싶다. (would like to, contribute to, society)

____

C 〈보기〉의 단어를 사용하여 요약된 글을 완성하시오.

보기	anything	alone	endangered	fast

Komodo dragons are the world's heaviest lizards but they can run as ____________ as dogs. They live in the islands of Indonesia and can eat almost ____________. But they are ____________. There are only 4,000 to 5,000 Komodo dragons in the wild.

Unit 07 25 Massive Planet

A 영어는 우리말로, 우리말은 영어로 쓰시오.

1 helium ____________
2 appearance ____________
3 orbit ____________
4 solar system ____________
5 planet ____________
6 temperature ____________
7 발견하다 ____________
8 수소 ____________
9 특징 ____________
10 표면 ____________
11 고리 ____________
12 회전 ____________

B 우리말과 뜻이 같도록 주어진 단어를 사용하여 문장을 완성하시오.

1 그녀는 보통 운동선수보다 2배 더 빠르다. (twice as fast as, a normal athlete)

____

2 우리 집은 도서관에서 꽤 멀다. (my home, quite, far, from the library)

____

3 이것이 학생들이 학교에서 역사를 배우는 이유이다. (this is why, learn history, at school)

____

C 〈보기〉의 단어를 사용하여 요약된 글을 완성하시오.

보기	the Earth	planet	moons	the Sun

Jupiter is the largest ____________ in our solar system and is very cold because it is far from the Sun. It is a gas giant and has a Great Red Spot which is larger than ____________. Galileo discovered four of the largest ____________ of Jupiter in 1610.

Unit 07 26 Vikings in Canada

A 영어는 우리말로, 우리말은 영어로 쓰시오.

1 archeologist ____________
2 exist ____________
3 for a long time ____________
4 province ____________
5 village ____________
6 steal ____________
7 고대의 ____________
8 기술 ____________
9 충격을 받은 ____________
10 공통의 ____________
11 우선은, 현재로는 ____________
12 발견하다 ____________

B 우리말과 뜻이 같도록 주어진 단어를 사용하여 문장을 완성하시오.

1 대한민국은 법에 의해 통치된다. (Korea, be rule, by law)

____

2 하와이는 신혼여행 장소로 유명하다. (Hawaii, famous, as a place, for honeymoons)

____

3 나는 그의 갑작스러운 죽음에 충격을 받았다. (be shocked by, his sudden death)

____

C 〈보기〉의 단어를 사용하여 요약된 글을 완성하시오.

보기	Europeans	found	Viking	Vinland

We commonly think that ____________ first came to America in 1492. But there is an old ____________ story about a man who came in 1003. A Viking style village was ____________ in 1960 in eastern Canada.

Unit 07 27 A Unique Animal

A 영어는 우리말로, 우리말은 영어로 쓰시오.

1 feature ______________
2 platypus ______________
3 enemy ______________
4 bizarre ______________
5 weapon ______________
6 flashlight ______________
7 야행성의 ______________
8 (새의) 부리 ______________
9 동물의 가시, 돌출부 ______________
10 (알을) 낳다 ______________
11 (속이) 빈 ______________
12 포유류 ______________

B 우리말과 뜻이 같도록 주어진 단어를 사용하여 문장을 완성하시오.

1 윌리엄은 돈을 유용하게 쓰는 방법을 모른다. (William, know, how to use, wisely)

____

2 나는 우리 형과 많은 공통점을 가지고 있다. (have, a lot, in common, with)

____

3 그 상자는 의자로 사용될 수 있다. (the box, can, be used, as a chair)

____

C 〈보기〉의 단어를 사용하여 요약된 글을 완성하시오.

보기	mammal	night	enemy	fur

The duck-billed platypus is a ____________. It has ____________ and feeds milk to its babies. But it has a bill and lays eggs. It only lives in Australia and comes out only at ____________.

Unit 07 28 Artistic Vision

A 영어는 우리말로, 우리말은 영어로 쓰시오.

1 fountain ______________
2 reality ______________
3 simple ______________
4 definition ______________
5 broaden ______________
6 stool ______________
7 다양한 ______________
8 여러 가지 종류의 ______________
9 무작위의 ______________
10 해석 ______________
11 미술 전시회 ______________
12 보다 ______________

B 우리말과 뜻이 같도록 주어진 단어를 사용하여 문장을 완성하시오.

1 나는 살을 빼기 위해 매일 운동한다. (exercise, in order to, lose weight)

____

2 너는 무작위의 사람들과 온라인으로 게임을 할 수 있다.
(play the game, online, with random people)

____

3 스마트폰은 넓은 범위에서 사용된다. (smartphones, be used for, a wide range of tasks)

____

C 〈보기〉의 단어를 사용하여 요약된 글을 완성하시오.

보기	art	truth	everyday	beauty

Some think art has to be about ____________ or reality. But others say it's all about ____________ or interpretation. Marcel Duchamp thought anything could be interpreted as art and displayed ____________ objects as art.

Unit 08 29 Unknown Civilization

A 영어는 우리말로, 우리말은 영어로 쓰시오.

1 sink into ______________

2 destroy ______________

3 upset ______________

4 historical ______________

5 loosely ______________

6 base on ______________

7 지어내다 ______________

8 오만 ______________

9 철학 ______________

10 지진 ______________

11 설명하다 ______________

12 강력한 ______________

B 우리말과 뜻이 같도록 주어진 단어를 사용하여 문장을 완성하시오.

1 그 소년은 단지 애정에 굶주려 있었다. (simply, hungry for, affection)

____

2 나는 그녀가 말한 것에 화가 났다. (be upset with, what, she said)

____

3 신념은 사실을 기반으로 한다. (faith, be based on, facts)

____

C 〈보기〉의 단어를 사용하여 요약된 글을 완성하시오.

보기	mystery	support	sank	only

Plato was the ____________ one to write about Atlantis. He claimed that it was a rival to Athens but ____________ in the ocean. There are many ideas about where Atlantis was. Some think Plato just made it up to ____________ his philosophy.

Unit 08 30 Blackbeard

A 영어는 우리말로, 우리말은 영어로 쓰시오.

1 inspire ______________
2 ambush ______________
3 struggle ______________
4 skull ______________
5 terrorize ______________
6 dreaded ______________
7 선원 ______________
8 교활한 ______________
9 상인 ______________
10 땋다, 묶다 ______________
11 짜다, 엮다 ______________
12 전리품 ______________

B 우리말과 뜻이 같도록 주어진 단어를 사용하여 문장을 완성하시오.

1 세상에서 가장 아름다운 도시들 중 한 곳은 서울이다.
(one of, the most beautiful cities, in the world, Seoul)

____

2 그는 초조해 보인다. (appear to be, nervous)

____

3 좋은 친구보다 좋은 것은 없다. (there, nothing like, a good friend)

____

C 〈보기〉의 단어를 사용하여 요약된 글을 완성하시오.

보기	beard	pirates	inspired	hair

Blackbeard was one of the most dreaded ____________ of all time. He carried knives and swords. He braided long black ribbons into his ____________. The Disney film series *Pirates of the Caribbean* was ____________ by him.

Unit 08 31 Live Longer

A 영어는 우리말로, 우리말은 영어로 쓰시오.

1 consume ______________

2 diet ______________

3 genetics ______________

4 conclude ______________

5 extremely ______________

6 longevity ______________

7 ~에 집중하다 ______________

8 ~와 비슷한 ______________

9 건강한 ______________

10 실험, 시도 ______________

11 특성 ______________

12 유전의 ______________

B 우리말과 뜻이 같도록 주어진 단어를 사용하여 문장을 완성하시오.

1 마이크는 지각을 한다는 평판이 있다. (Mike, have a reputation, for being late)

____

2 너는 음악에 관심이 있니? (be interested in, music)

____

3 그 운전자는 그 사고에 책임이 있다. (the driver, be responsible for, the accident)

____

C 〈보기〉의 단어를 사용하여 요약된 글을 완성하시오.

보기	diet	low	meat	reputation

Okinawa has a ____________ for longevity. Scientists believe the key is their genetics, their clean environment, and also their ____________. Their diet is extremely ____________ in calories. Scientist proved the importance of this diet by conducting experiments on rats.

Unit 08 32 Special Printers

A 영어는 우리말로, 우리말은 영어로 쓰시오.

1 common ____________
2 print out ____________
3 make a design ____________
4 technology ____________
5 three dimensional ____________
6 expensive ____________
7 보통의 ____________
8 물건, 물체 ____________
9 만들어 내다 ____________
10 주로 ____________
11 대기업 ____________
12 드문 ____________

B 우리말과 뜻이 같도록 주어진 단어를 사용하여 문장을 완성하시오.

1 너는 바닷가재를 먹어 본 적 있니? (have you ever, a lobster)

____

2 외출하지 않고 집에서 책을 읽는 것은 어때?
(what about, read a book, at home, without, go outside)

____

3 나는 내가 원하는 건 뭐든지 살 수 있다. (buy, whatever, I want)

____

C 〈보기〉의 단어를 사용하여 요약된 글을 완성하시오.

보기	change	printers	common	cup

Three dimensional ____________ can make whatever people want. They can really ____________ a person's life. They are expensive now but many people think they will be ____________ in the future.

Unit 09 33 Take a Shot

A 영어는 우리말로, 우리말은 영어로 쓰시오.

1 worth ____________
2 count as ____________
3 go back ____________
4 miss ____________
5 ignore ____________
6 defensive ____________
7 잡다 ____________
8 호 ____________
9 반칙, 파울 ____________
10 공격의 ____________
11 직사각형 ____________
12 슛을 하다 ____________

B 우리말과 뜻이 같도록 주어진 단어를 사용하여 문장을 완성하시오.

1 어떻게 그녀의 어머니가 그 편지를 손에 넣었지? (how, get possession of, the letter)

____

2 저스틴은 노래를 시작했다 하면, 절대 멈추지 않는다. (once, Justin, start to, never)

____

3 그는 노벨 문학상을 받았다. (be awarded, the Nobel Prize, for literature)

____

C 〈보기〉의 단어를 사용하여 요약된 글을 완성하시오.

보기	foul	basic	second	offensive

Beginners at basketball may not know some ____________ rules of the game. For example, there is a 3-____________ limit on a player inside the key. Also the ____________ team has to move the ball past the mid-court line within 10 seconds.

Unit 09 34 The Austronesians

A 영어는 우리말로, 우리말은 영어로 쓰시오.

1 by mistake ______________
2 impossible ______________
3 remote ______________
4 volcano ______________
5 distant ______________
6 explorer ______________
7 식민지로 만들다 ______________
8 수수께끼 ______________
9 언어 ______________
10 고대의 ______________
11 거리 ______________
12 깜짝 놀라다 ______________

B 우리말과 뜻이 같도록 주어진 단어를 사용하여 문장을 완성하시오.

1 그는 우산을 가지고 오지 않았다. (bring, an umbrella, with him)

____

2 우리 어머니는 실수로 차에 소금을 조금 넣었다. (put, some salt, in the tea, by mistake)

____

3 나는 그가 화를 내는 것에 깜짝 놀랐다. (taken aback, by his anger)

____

C 〈보기〉의 단어를 사용하여 요약된 글을 완성하시오.

보기	found	glass	explorers	language

The Austronesians were ancient ____________ who traveled across the Pacific Ocean. They took their ____________ to all the remote places they went to. It's still a bit mysterious how they ____________ such faraway places by small canoes.

Unit 09 35 The Louvre

A 영어는 우리말로, 우리말은 영어로 쓰시오.

1 mixture ____________
2 ambitious ____________
3 unknown ____________
4 fortress ____________
5 display ____________
6 house ____________
7 ~에 공개하다 ____________
8 진행 중인 ____________
9 침략 ____________
10 걸작 ____________
11 원래 ____________
12 대체로 ____________

B 우리말과 뜻이 같도록 주어진 단어를 사용하여 문장을 완성하시오.

1 가격은 5달러에서 100달러까지이다. (the prices, range, from A to B, one hundred dollars)

____

2 그 궁전은 모두에게 개방되어 있다. (the palace, open to, all people)

____

3 제이크는 논란의 여지가 있는 책을 집필했다. (Jake, write, a controversial book)

____

C 〈보기〉의 단어를 사용하여 요약된 글을 완성하시오.

보기	houses	national	royal	fortress

The Louvre museum ____________ a large collection of art. The building was originally a ____________ but later became a place to display the royal art collection. It became a ____________ museum after the French Revolution.

Unit 09 36 Is Anybody Out There?

A 영어는 우리말로, 우리말은 영어로 쓰시오.

1 spaceship ______________
2 sign ______________
3 solar system ______________
4 planet ______________
5 probably ______________
6 probe ______________
7 무선 신호 ______________
8 보내다 ______________
9 오랫동안 ______________
10 우주 ______________
11 발견하다 ______________
12 백만 ______________

B 우리말과 뜻이 같도록 주어진 단어를 사용하여 문장을 완성하시오.

1 나는 그의 이야기가 사실인지 알아낼 것이다. (find out, if, his story, true)

____

2 헬렌은 그 상자를 기숙사로 보냈다. (Helen, send, to the dormitory)

____

3 하루 더 머물 수 있을까? (possible, to stay, one more day)

____

C 〈보기〉의 단어를 사용하여 요약된 글을 완성하시오.

보기	pictures	radio	water	universe

We send small spaceships called probes to take ____________ of other planets. Those sent to Mars have not found any plants or animals but discovered ____________. A better way to look for life in space is to use ____________ signals.

Unit 10 37 The Smallest Things

A 영어는 우리말로, 우리말은 영어로 쓰시오.

1 convert ______________

2 cell wall ______________

3 absorb ______________

4 discover ______________

5 microscope ______________

6 visible ______________

7 안정성 ______________

8 햇빛 ______________

9 추가의 ______________

10 직사각형의 ______________

11 보호 ______________

12 발명 ______________

B 우리말과 뜻이 같도록 주어진 단어를 사용하여 문장을 완성하시오.

1 이 케이크를 셋으로 나누자. (divide, into three)

____

2 그는 달러를 원화로 바꾸기 위해 은행에 갔다. (go to the bank, convert, dollars, into won)

____

3 에이미의 고객은 그녀에게서 좋지 않은 인상을 받았다.
(Amy's client, get a bad impression, from)

____

C 〈보기〉의 단어를 사용하여 요약된 글을 완성하시오.

보기	microscope	differences	smallest	nucleus

Cells are the ____________ parts of all living things. But even they have several parts such as a ____________. Plant cells and animal cells are similar but have several ____________.

Unit 10 38 Music is My Life

A 영어는 우리말로, 우리말은 영어로 쓰시오.

1 sexual ______________
2 lyric ______________
3 do chores ______________
4 distract ______________
5 improve ______________
6 calm ______________
7 기분 전환 ______________
8 저조하게 ______________
9 폭력적인 ______________
10 안절부절못하는 ______________
11 혐오감을 느끼는 ______________
12 마지막으로 ______________

B 우리말과 뜻이 같도록 주어진 단어를 사용하여 문장을 완성하시오.

1 그 배우는 사람들에게 나쁜 영향을 준다. (the actor, have a bad influence, on)

____

2 매일 하루를 감사하는 마음으로 시작함으로써 당신 생활에 활력을 불어넣어라.
(energize, life, by starting, each day, with gratitude)

____

3 연기 때문에 속이 안 좋다. (the smoke, make, me, sick)

____

C 〈보기〉의 단어를 사용하여 요약된 글을 완성하시오.

보기	moods	improve	bored	embarrassed

There are a number of ways that music affects ____________. It entertains us when we're ____________ or comforts us when we are sad. Some music makes us tense and some lyrics make us feel ____________.

Unit 10 39 Giant Trees

A 영어는 우리말로, 우리말은 영어로 쓰시오.

1 scar ______________
2 carve ______________
3 attach ______________
4 on earth ______________
5 char ______________
6 opening ______________
7 힘 ______________
8 구조 ______________
9 뻗다 ______________
10 나이테 ______________
11 뿌리 ______________
12 잦은 ______________

B 우리말과 뜻이 같도록 주어진 단어를 사용하여 문장을 완성하시오.

1 거북이는 100년까지 살 수 있다. (turtles, live, up to)

____

2 노아는 지원서에 사진을 붙였다. (Noah, attach, a photograph, to his application form)

____

3 미아의 가족은 그녀에게 의지하고 있다. (Mia's family, depend on)

____

C 〈보기〉의 단어를 사용하여 요약된 글을 완성하시오.

보기	largest	trunk	root	thousands

Redwoods are the ____________ trees on earth. They are only found in northern California and can be ____________ of years old. Their ____________ systems can attach to each other and give strength to the trees.

Unit 10 40 Extreme Stunts

A 영어는 우리말로, 우리말은 영어로 쓰시오.

1 exactly ________________
2 bury ________________
3 stunt ________________
4 extreme ________________
5 tired of ________________
6 alive ________________
7 정말 놀라운 ________________
8 평균의 ________________
9 인내 ________________
10 미친, 기이한 ________________
11 마술사 ________________
12 관 ________________

B 우리말과 뜻이 같도록 주어진 단어를 사용하여 문장을 완성하시오.

1 나는 집에만 있는 것이 지겹다. (be tired of, stay, at home)

____

2 엠마는 세계 신기록을 수립할 것이다. (Emma, set, a new world record)

____

3 그는 3분간 숨을 멈추고 있었다. (hold one's breath, for)

____

C 〈보기〉의 단어를 사용하여 요약된 글을 완성하시오.

보기	food	trick	breath	street

The American magician David Blaine lived inside a glass cube without ____________ for 44 days in 2003. He began as a ____________ magician and later got his own TV show. Amazingly, He can hold his ____________ for 17 minutes.

THIS IS READING

전면 개정판

중등부터 고등까지 **모든 독해의 확실한 해결책 !**

★ 실생활부터 전문적인 학술 분야까지 **다양한 소재의 지문 수록**

★ 서술형 내신 대비까지 제대로 준비하는 **문법 포인트 정리**

★ 지문 이해 확인 또 확인, **본문 연습 문제 + Review Test**

★ 정확하고도 빠른 지문 읽기 **직독직해 연습**

★ 원어민의 발음으로 듣는 전체 **지문 MP3** (QR 코드 & www.nexusbook.com)

★ 확실한 마무리 3단 콤보 **WORKBOOK**

MP3 바로가기

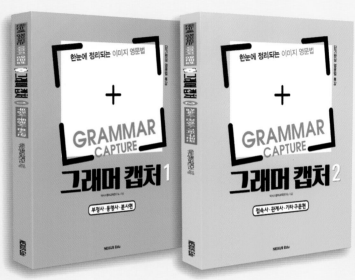

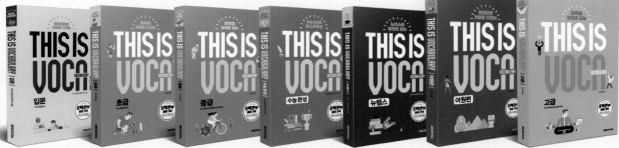

LEVEL CHART

	초1	초2	초3	초4	초5	초6	중1	중2	중3	고1	고2	고3
VOCA	초등필수 영단어 1-2 · 3-4 · 5-6학년용											
VOCA					The VOCA + (플러스) 1~7							
VOCA			THIS IS VOCABULARY 입문 · 초급 · 중급					고급 · 어원 · 수능 완성 · 뉴텝스				
VOCA							WORD FOCUS 중등 종합 5000 · 고등 필수 5000 · 고등 종합 9500					
Grammar			초등필수 영문법 + 쓰기 1~2									
Grammar			OK Grammar 1~4									
Grammar			This Is Grammar Starter 1~3									
Grammar					This Is Grammar 초급~고급 (각 2권: 총 6권)							
Grammar						Grammar 공감 1~3						
Grammar						Grammar 101 1~3						
Grammar						Grammar Bridge 1~3 (NEW EDITION)						
Grammar						The Grammar Starter, 1~3						
Grammar							한 권으로 끝내는 필수 구문 1000제					
Grammar								구사일생 (구문독해 Basic) 1~2				
Grammar									구문독해 204 1~2 (개정판)			
Grammar								그래머 캡처 1~2				
Grammar									[특급 단기 특강] 어법어휘 모의고사			

전면 개정판

THIS

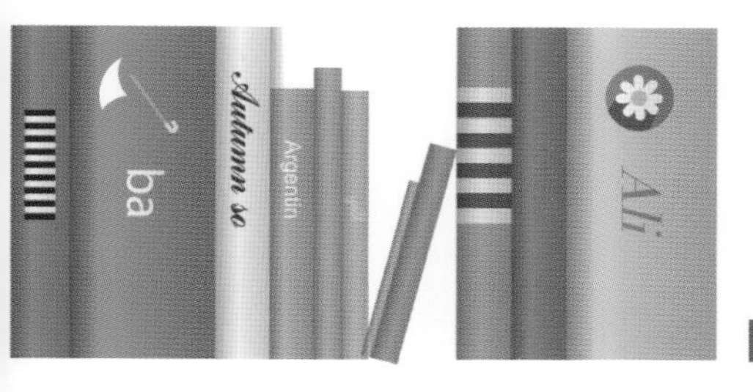

독해의
확실한 해결책

IS

READING

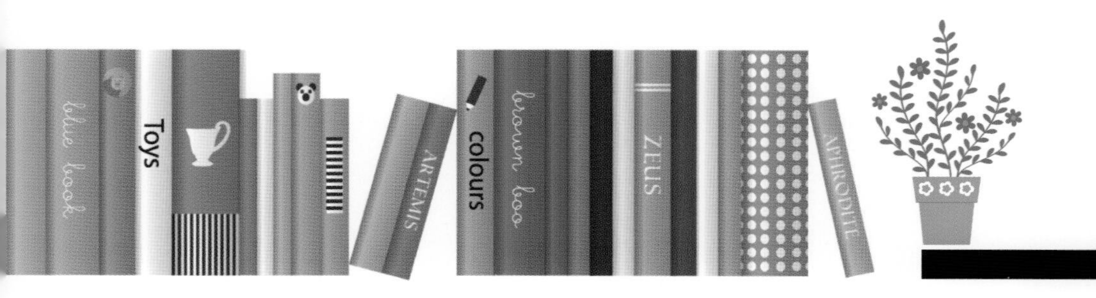

With Workbook
어휘 테스트
통문장 영작
본문 요약 완성

넥서스영어교육연구소 지음

정답 및 해설

NEXUS Edu

THIS IS READING 2

독해의
확실한 해결책

정답 및 해설

NEXUS Edu

Unit 01

01 | To Hold or Not

p. 10

1 ② 2 ③ 3 ⑤
4 접시와 옷에 음식을 흘리지 않으려고

| 본문 해석 |

햄버거를 먹는 다양한 방법들이 있다. 햄버거는 간 쇠고기를 사용한 샌드위치로 볼 수 있다. 샌드위치와 마찬가지로, 그 원래 의도는 손으로 먹는 것이다. 하지만 먹는 동안 버거를 들고 있으면 지저분해질 수 있다. 물론, 대개 냅킨을 이용할 수 있다.
하지만 햄버거는 특히 일부 유럽과 아시아 문화에서, 때때로 나이프와 포크로 먹기도 한다. 한 가지 실질적인 이유는 접시와 옷에 음식을 흘리는 것을 방지하기 위함이다. 그것은 큰 난처한 상황이 되고 비용이 많이 들 수 있다. 세탁으로 충분하지 않아, 비싼 드라이클리닝이 필요할 수도 있다. 심지어 그것이 효과가 없을 수도 있다. 도구로 버거를 먹는 것이 이런 문제를 해결한다.
일부 사람들은 버거의 크기에 따라 방법을 바꾼다. 버거가 충분히 작을 경우, 들고 있는 것이 그다지 어렵지 않다. 하지만 많은 재료들이 떨어져 나올 만큼 크다면, 나이프와 포크가 타당하다. 엉망으로 만들지 않고 음식을 먹는 것이 그 어떤 관습을 따르는 것보다 더 중요할 수 있다. 게다가, 식사 후에 중요한 미팅이 있을지도 모른다. 옷은 최상의 상태로 보여야 한다.

| 문제 해설 |

1 햄버거는 처음에 손으로 먹도록 의도되었지만, 문화권에 따라 또는 햄버거의 크기에 따라 포크와 나이프를 이용하여 먹는 방법이 있음을 소개하고 있으므로 ②가 주제로 가장 적절하다.

2 messy는 '지저분한, 엉망인'이라는 뜻이므로 ③ dirty(더러운, 지저분한)가 의미상 가장 가깝다.
① 어색한 ② 부주의한 ④ 혼란스러운 ⑤ 가난한

3 빈칸의 다음 문장에서 접시와 옷에 음식을 흘리면 비싼 드라이클리닝이 필요할 수도 있다고 했으므로 빈칸은 ⑤ expense(비용)가 가장 적절하다.
① 영광 ② 기쁨 ③ 진열 ④ 칭찬

4 일부 유럽과 아시아에서는 접시와 옷에 음식을 흘리는 것을 방지하기 위해 나이프와 포크를 사용한다고 했다.

| 직독 직해 |

- 있다 / 다양한 방법들이 / 햄버거를 먹는
- 햄버거를 먹는 것은 / 도구로 / 이런 문제를 해결한다
- 게다가 / 여러분은 가지고 있을지도 모른다 / 중요한 미팅을 / 식사 후에

02 | Talkative Bacteria

p. 12

1 ② 2 ① 3 ② 4 ③

| 본문 해석 |

새들은 지저귀거나 상대방에게 소리를 내어 의사소통을 한다. 침팬지들은 서로에게 뱀이나 위험한 것에 대해 경고하기 위해 소리를 질러 대화한다. 그러나 박테리아 같은 단세포 생물은 어떨까? 그들이 서로 대화를 할 수 있을까? 대부분의 사람들은 불가능하다고 생각한다.
박테리아는 현미경으로나 볼 수 있는 매우 작은 미생물이다. 이들이 별로 연구하고 싶지 않은 대상처럼 들리겠지만, 어떤 과학자들, 특히 모든 박테리아들이 서로 대화를 한다는 것을 입증하기를 원하는 일부 과학자들에게는 연구할 만한 흥미 있는 것이다.
해양 박테리아를 연구하면서 과학자들은 빛을 내는 박테리아를 발견했다. 이들 박테리아들이 함께 있을 때에 이들은 푸른 빛을 내며 서로 대화를 한다. 혼자 있으면 박테리아는 "나 여기 있어, 이리 와."라는 뜻의 화학 신호를 다른 박테리아에게 보낸다. 그리고 박테리아는 대답을 듣는다. 이러한 신호들은 다정하고 친화적이고 재미있는 박테리아의 대화이다.
그러나 서로서로 의사소통할 수 있는 위험한 박테리아도 있다. 대장균이라고 불리는 박테리아는 사람들을 병들게 하고 심지어 죽게 할 수도 있다. 일단 이들이 서로 대화를 시작하면 이들은 증식을 하고, 그것은 사람의 신체에 치명적 위험을 끼칠 수 있다. 과학자들이 박테리아의 이런 대화들을 이해할 수 있다면 어떤 질병들이 치료되거나 사라지게 될 수 있을 것이다.

| 문제 해설 |

1 이 글은 빛을 내어 의사소통을 하는 해양 박테리아, 상대방과 대화를 할 수 있는 대장균 박테리아의 예시를 들며 박테리아가 의사소통을 할 수 있는지에 대해 이야기하고 있다. 따라서 ②가 글의 주제로 가장 적절하다.

2 빈칸이 있는 문장은 박테리아는 현미경을 사용하여서만 볼 수 있는 생물이라고 했으므로 아주 작은 생물임을 알 수 있다. 따라서 빈칸은 ① tiny(아주 작은, 조그마한)가 가장 적절하다.
② 귀여운 ③ 건강한 ④ 규칙적인 ⑤ 해로운

3 주어진 문장은 '박테리아들이 함께 있을 때에 이들은 푸른 빛을 내어 의사소통을 한다.'는 뜻이므로, 과학자들이 발견한 빛을 내는 박테리아의 예시에 해당한다. 따라서 (B)에 오는 것이 가장 적절하다.

4 대장균이 질병의 치료제로 사용될 수 있다는 언급은 없다. 따라서 ③이 사실과 다르다.

| 직독 직해 |

- 새들은 의사소통을 한다 / 지저귀거나 소리를 내어 / 서로에게
- 그것들은 들리지 않을 수 있다 / 흥미로운 것처럼 / 연구하기에
- 대장균은 만들 수 있다 / 사람들을 매우 아프게 / 그리고 심지어 죽음을 야기할 수 있다

03 | Bamboo Forest p. 14

1 ⑤ 2 ③ 3 ④ 4 ②

| 본문 해석 |

대나무는 널리 퍼져 있고 적응력 있는 식물이다. 그것은 추운 산지에서부터 열대 지역까지 다양한 기후에서 자랄 수 있다. 그것들은 아프리카와 아메리카, 오스트레일리아, 인도, 중국 그리고 동남아시아에서 자란다. 몇몇 열대 대나무들은 영하의 온도에서 죽을 수 있는 반면 다른 대나무들은 추운 겨울에도 생존할 수 있다. 이렇게 광범위하게 이용될 수 있는 점은 대나무가 사람과 동물에게 똑같이 유용함을 의미한다.

그것은 널리 퍼져 있기 때문에, 사람을 포함하여, 다양한 동물들이 먹는다. 그것은 중국의 자이언트 판다와 네팔의 레서판다, 그리고 마다가스카르의 대나무 여우원숭이의 먹이가 된다. 심지어 마운틴 고릴라와 침팬지, 아프리카 코끼리도 대나무를 먹는다. 그리고 사람들은 죽순을 먹는다. 히말라야에서, 그것들은 오일, 강황과 함께 발효되고 감자와 함께 요리된다. 그러나 몇몇 종들은 독소가 있어 삶아야 한다.

대나무는 물건들을 만드는 데 사용될 수도 있다. 고대 중국에서는 대나무 막대로 책을 만들었다. 그것은 막대기와 양궁용 활 그리고 초기 총과 같은 무기들을 만드는 데 사용될 수 있었다. 그것들은 또한 낚싯대와 가구 또는 목재 바닥재로 만들어질 수 있다.

| 문제 해설 |

1 사람들은 죽순(대나무 싹)을 먹을 수 있는데 몇몇 종들은 독소가 있어 삶아야 한다고 했으므로 ⑤가 조심해야 하는 이유이다.

2 빈칸(A)와 (B)는 대조를 나타내는 while(~인 반면에)을 중심으로 반대말이 들어가야 한다. 따라서 '몇몇 열대 대나무들은 영하의 온도에서 (살아남지 못하고) 죽을 수 있는 반면, 다른 대나무들은 추운 겨울에도 생존할 수 있다.'는 의미가 제일 적절하다. ③ die(죽다), survive(생존하다)가 정답이다.
① 살다, 견디다 ② 참다, 다치다 ④ 얼다, 썩다 ⑤ 자라다, 확장하다

3 두 번째 문단에서 대나무를 먹는 동물들로 언급되지 않은 동물은 ④ '코알라'이다.

4 마지막 문단에서 대나무의 쓰임에 대해 말하고 있다. 책, 활, 낚싯대, 가구는 언급되어 있지만 ② '술잔'은 언급되지 않았다.

| 직독 직해 |

- 그것은 자랄 수 있다 / 다양한 기후에서
- 몇몇 종은 가지고 있다 / 독소를 / 필요로 하는 / 삶는 것을
- 대나무는 할 수 있다 / 또한 사용될 / 물건을 만들기 위해

04 | Mr. Eat-It-All p. 16

1 ⑤ 2 ③ 3 ④
4 보통 사람보다 두 배나 두꺼운 위장막을 갖고 태어났기 때문에

| 본문 해석 |

거의 모든 사람들에게는 너무 이상해서 먹을 수 없다고 생각하는 음식이 있기 마련이다. 그러나 그중에서도 마이클 로티토가 먹는 것이 가장 이상한 것일지도 모르겠다. 마이클은 많이 먹는 것을 좋아하지만, 피자나 햄버거를 먹는 것이 아니라 금속, 유리, 고무, 그리고 자신의 입에 가져갈 수 있는 것이면 거의 무엇이든 탐닉하기를 좋아한다!

1950년에 프랑스 그레노블에서 태어난 로티토는 아이였을 때 언제나 작은 물건을 삼켰다. 10대 때는 친구들에게 깊은 인상을 주기 위해 이런 재주를 사용했고, 시간이 흐르면서 자신이 거의 무엇이든 먹을 수 있다는 사실을 깨달았다. 의사들은 그가 보통 사람보다 두 배나 두꺼운 위장막을 갖고 태어났기 때문에 이렇게 할 수 있다고 말한다.

그는 여러 해에 걸쳐 텔레비전, 자전거, 가구처럼 일상생활에서 사용하는 물건을 많이 먹어 왔다. 하지만 가장 유명한 음식은 바로 비행기였다. 그렇다. 비행기였다! 그는 2년 넘게 걸려서 작은 비행기를 먹어 치웠다. 프랑스에서 그는 '몽땅 먹어 치워 씨'로 알려져 있다. 그리고 그는 이 유별난 재주 덕분에 세계적인 유명 인사가 되었다.

| 문제 해설 |

1 음식이 아닌 금속, 유리, 고무 등 거의 무엇이든 먹을 수 있는 사람에 대한 글이므로 '음식이 아닌 물건들을 먹을 수 있는 사람'을 뜻하는 ⑤가 글의 주제로 적절하다.
① 햄버거를 지나치게 많이 먹는 사람들 ② 세계에서 가장 큰 음식 먹기 ③ 비행기에서 가장 유명한 음식 ④ 친한 친구들에게 깊은 인상을 남기는 다양한 방법들

2 strange는 '이상한, 낯선'이라는 뜻이므로 ③ odd(이상한)가 의미상 가장 가깝다.
① 평범한 ② 흔한 ④ 호기심 많은 ⑤ 건전한

3 마이클 로티토가 무엇이든 먹을 수 있다는 언급은 있지만 금속을 가장 즐겨 먹는다는 내용은 없으므로 ④가 일치하지 않는 내용이다.

4 의사들이 마이클 로티토가 보통 사람보다 두 배나 두꺼운 위장막을 갖고 태어났기 때문에 거의 무엇이든 먹을 수 있다고 하였다.

| 직독 직해 |

- 10대 때 / 그는 사용했다 / 이런 재주를 / 자신의 친구들에게 깊은 인상을 주기 위해
- 여러 해에 걸쳐 / 그는 먹어 왔다 / 많은 일상의 물건들을
- 걸렸다 / 그에게 / 2년 넘게 / 작은 비행기를 먹어 치우는 것이

Review Test (01 ~ 04) p. 18

1 ④ 2 ① 3 alike
4 deadly 5 practical 6 ③
7 to get → to getting
8 is leading to a cabin → leading to a cabin
9 The hamburger can be seen as a sandwich using ground beef.
10 Chimpanzees communicate by screaming to warn their friends of snakes.

| 문제 해설 |

1 important는 '중요한'이라는 뜻이므로 ④ significant(중요한)가 의미상 가장 가깝다.
[가장 중요한 것은 당신의 건강이다.]
① 너그러운 ② 부주의한 ③ 정직한 ⑤ 근면한

2 unusual은 '특이한'이라는 뜻이므로 ① uncommon(희한한)이 의미상 가장 가깝다.
[몇몇 사람들은 특이한 모양의 병을 수집한다.]
② 똑똑한 ③ 평상시의 ④ 평범한 ⑤ 공식적인

[3~5]

| 보기 | 똑같이 실용적인 두꺼운 치명적인 다양한

3 샘과 나는 똑같이 생겼다. 많은 사람들이 우리가 쌍둥이라고 생각한다.

4 저 화학 물질들은 치명적이다. 어린이 손이 닿지 않는 곳에 그것들을 보관해라.

5 새 기계는 매우 실용적이어서 많은 사람들이 그것을 구입한다.

6 밑줄 친 being 중에서 ③은 분사구문에 쓰인 것이다. 분사구문에서 being은 생략될 수 있다.
① 선생님이 되는 것은 매우 보람 있는 일일 수 있다.
② 소방관이 된다는 것은 어떤 기분일까?
③ 가난한 집안에서 태어나서 그는 12살에 학교를 그만둬야 했다.
④ 대학생이 되어서 좋은 점은 무엇인가요?
⑤ 방은 청소되고 있다.

7 의미상 '~에 익숙해진'이라는 의미가 되어야 하므로 [be used to 동명사]의 형태가 되어야 한다.
[케빈은 아침에 일찍 일어나는 것이 익숙하다.]

8 We followed the trail 자체가 하나의 완벽한 문장인데 뒤에 동사 is가 다시 나오므로 어법상 맞지 않다. is를 생략하면 leading to a cabin이 분사구가 되어 the trail을 수식할 수 있다.
[우리는 오두막으로 이어지는 길을 따라갔다.]

Unit 02

05 | Heavenly Park p. 20

1 ③ 2 ⑤ 3 ④ 4 ⑤

| 본문 해석 |

자금성은 그곳에 살 황제를 위해 베이징에 건설되었다. 그러나 그 옆에, 심지어 더 큰 곳인, 천단공원이 있다. 이곳은 황제들이 하늘을 위한 의식을 행하던 곳이었다. 황제의 거주지는 하늘을 위한 곳보다 더 클 수 없다는 생각인 것이다.
천단공원의 북쪽은 하늘을 상징하는 반원형이고 남쪽은 땅을 상징하는 사각형이다. 그 공원은 매우 규칙적인 디자인과 6만 그루 이상의 나무들로 이루어져 있다. 가장 유명한 것은 구룡(Nine-Dragon)이라고 불리는 500년 된 나무다. 그 공원은 걷기, 자전거 타기, 장기 두기 또는 연날리기를 위해 대중에 개방하고 있다.
공원 안에 독특한 건물 중 하나는 '황제가 풍년을 기원하며 하늘에 제사를 지내던 장소'이다. 그 3층짜리 신전에는 청자색의 우산 지붕이 있다. 그것은 3단의 대리석 테라스 위에 자리 잡고 있다. 원래 건물은 1420년에 건설되었다. 하지만 1889년에 번개를 맞아 파괴되었다. 다음 해에 재건되었다. 그 건물은 이제 높이 38미터에 폭이 30미터이다.

| 문제 해설 |

1 두 번째 문단에서 천단공원은 6만 그루 이상의 나무들이 있다고 했으므로 ③이 일치하는 내용이다.

2 세 번째 문단에서 Hall of Prayer for Good Harvests의 테라스가 대리석으로 이루어졌다는 내용은 있지만 그것의 넓이에 대한 언급은 없으므로 정답은 ⑤이다.

3 자금성이 천단공원보다 작은 이유에 대한 설명이다. 황제의 거주지가 하늘을 위한 곳보다 클 수는 없기 때문이므로 빈칸은 ④ larger(더 큰)이다.
① 더 적은 ② 더 작은 ③ 더 예쁜 ⑤ 더 낮은

4 주어진 문장은 '그 건물은 이제 높이 38미터에 폭이 30미터이다.'라는 뜻이므로 재건된 건물에 대해 설명하고 있다. 따라서 (E)에 들어가는 것이 가장 적절하다.

| 직독 직해 |

- 황제들은 행했었다 / 의식을 / 하늘을 위한
- 그 공원은 가지고 있다 / 매우 규칙적인 디자인을 / 그리고 6만 그루 이상의 나무를
- 그것은 맞았다 / 번개에 의해 / 1889년에 / 그리고 파괴되었다

06 | Power to Move Things p. 22

1 ③ 2 ⑤ 3 ② 4 ②

| 본문 해석 |

마술에 관한 이야기에 염력을 가진 사람들이 종종 등장한다. 염력은 오직 생각만으로 사물을 움직이는 힘을 뜻한다. 그러나 염력이 항상 마술에 관한 이야기에만 존재하는 것은 아니다. 과학자들은 이러한 힘을 사람들에게 줄 수 있는 방법을 알아내기 위해 노력하고 있다.

듀크 대학의 과학자 니콜레리스 박사는 몇 개의 작은 전선을 원숭이 몇 마리의 뇌에 연결했다. 그 다음 니콜레리스 박사는 그 전선을 특수 로봇의 팔에 연결시켰다. 잠시 후 원숭이들이 오직 그들의 생각만으로 로봇의 팔을 움직이는 것을 습득했다.

과학자들은 이 기술을 인간을 돕는 데 사용하고자 한다. 그들은 특히 거동이 힘든 사람을 돕고 싶어 한다. 최근 실험에서 과학자들은 사람이 생각만으로 마우스 커서를 움직이게 할 수 있도록 이 기술을 사용했다. 미래에 사람들은 생각만으로 휠체어나 다른 교통수단을 움직일 수 있을지도 모른다.

이러한 염력을 가지기를 원하는 사람이 신체장애가 있는 사람만이 아니라는 것은 놀라운 일이 아니다. 심지어 거동에 불편이 없는 사람들도 그들의 생각만으로 기계를 작동하고 싶어한다. 아마도 여러분도 언젠가는 염력을 가지게 될 것이다.

| 문제 해설 |

1 염력에 대해서 말하고 있다. 염력을 풀어서 설명한 ③ '사람들이 마음을 이용하여 사물을 움직이게 하는 기술'이 정답이다.
① 마음으로 사물을 움직이게 하는 마법 이야기의 등장인물 ② 숲 속에서 원숭이들이 서로 대화하는 법 ④ 원숭이들과 인간들이 마음을 사용하는 방법의 유사성 ⑤ 염력이 사람들의 마음에 안 좋은 영향을 주는 이유

2 figure out는 '이해하다'라는 뜻이므로 ⑤ understand(이해하다)가 의미상 가장 가깝다.
① 보내다 ② 퍼뜨리다 ③ 관리하다 ④ 제거하다

3 과학자들이 '염력'이라는 기술을 인간을 돕는 데, 특히 거동이 힘든 사람을 돕는 데 사용하고 싶다고 했으므로 ②가 정답이다.

4 니콜레리스 박사가 원숭이의 뇌에 전선을 연결한 후 그 전선을 특수 로봇의 팔에 연결하였는데, 그들은(원숭이들은) 생각만으로 로봇의 팔을 움직이는 것을 배웠다고 했으므로 빈칸은 '원숭이'가 주체가 됨을 알 수 있다. 따라서 정답은 ② the monkeys이다.
① 니콜레리스 박사 ③ 뇌 ④ 과학자 ⑤ 로봇

| 직독 직해 |

- 과학자들은 노력하고 있다 / 알아내기 위해 / 주는 방법을 / 사람들에게 이 힘을
- 과학자들은 원한다 / 이 기술을 사용하는 것을 / 사람들을 돕기 위해
- 아마도 언젠가 / 여러분은 가질 것이다 / 염력을

07 | Hopping About p. 24

1 ④ 2 ② 3 ⑤
4 발로 땅을 쿵쿵 두드린다.

| 본문 해석 |

캥거루란 무엇일까? 캥거루는 호주에서만 발견되는 커다란 동물이다. 그곳에서만 살기 때문에, 그 나라의 비공식적인 마스코트다. 그들은 키가 2미터까지 자라고 몸무게가 90킬로그램까지 나갈 수 있다. 강력한 다리와 꼬리로, 시속 48킬로미터로 달리고 한 번 껑충 뛰어 9미터에 이를 수 있다.

캥거루는 유대류 동물이다. (C) 이는 암컷 캥거루가 커다란 주머니를 갖고 있다는 뜻이다. (B) 그 안에서, 새끼들은 몇 달 동안 살면서 먹이를 먹을 수 있다. (A) 새끼 캥거루는 태어났을 때 포도 정도의 크기이다. 그것이 주머니로 기어올라가 그 안에서 최대 10개월 동안 살아간다. 거기서 모유를 먹을 수 있다. 약 4개월 정도에, 야외로의 짧은 여정을 위해 주머니를 떠나기도 하지만 늘 다시 돌아온다. 하지만 10개월에는 그저 영원히 떠날 것이다.

캥거루들은 풀과 꽃, 이파리와 곤충들을 먹는다. 그것들은 50마리 이상의 떼라고 부르는 무리를 지어 산다. 그들은 위협을 느끼면, 발로 땅을 쿵쿵 두드린다. 수컷 캥거루들은 발차기나 물기를 이용해 서로 싸운다. 그들은 야생에서 약 7년 정도 산다.

| 문제 해설 |

1 캥거루는 야생에서 약 7년 동안 산다고 했지만, 50마리 이상 무리를 지어 산다고 했으므로 ④가 일치하지 않는 내용이다.

2 빈칸이 있는 문장은 캥거루가 한 번 껑충 뛰었을 때 9미터에 이를 수 있다는 뜻으로 유추할 수 있으므로 빈칸은 ② cover(가다, 이동하다)가 가장 적절하다.
① 걸음을 옮기다 ③ 몰다, 쫓다 ④ 보내다 ⑤ 점검하다

3 캥거루가 유대류 동물이라는 내용 다음에는 그것의 정의를 나타내는 (C)가 와야 한다. (B)의 it은 (C) 문장의 '주머니'를 가리키므로 다음에 이어지고, (A)는 (B) 문장의 캥거루 새끼의 다른 특징을 설명하므로 마지막에 오는 것이 자연스럽다. 따라서 정답은 ⑤ (C)-(B)-(A)이다.

4 캥거루는 위협을 느낄 경우 발로 땅을 쿵쿵 두드린다.

| 직독 직해 |

- 캥거루는 이다 / 큰 동물 / 발견되는 / 오직 호주에서
- 그것 안에서 / 새끼들은 살 수 있다 / 그리고 먹이를 먹을 수 있다 / 몇 달 동안
- 수컷 캥거루들은 싸운다 / 서로 / 발차기나 물기를 이용해

08 | The Secret Model p. 26

1 ③ 2 ④ 3 ⑤ 4 ③

| 본문 해석 |

1506년에 레오나르도 다 빈치라는 이름의 화가가 한 여성을 그린 후에 '모나리자'라는 제목을 붙였다. 그는 이 그림을 소나무 화판에 그렸다. 주로 그녀의 신비스러운 미소로 인해 이 그림은 찬사를 받았고 전 세계적으로 유명해졌다. 다 빈치는 대개 자신을 위해 포즈를 취했던 모델에 대한 정보를 기록했지만, 모나리자에 대한 기록은 전혀 발견되지 않고 있다. 누가 다 빈치를 위해 포즈를 취했을까? 그녀는 친구였을까? 아니면 친척이었을까? 이러한 질문들이 500년이 넘도록 사람들을 혼란시켜 왔다.
릴리안 슈바르츠라는 이름의 한 여성 조사관에 따르면, 레오나르도가 자신의 모습을 그린 것이라고 했다. 슈바르츠는 레오나르도의 얼굴과 유명한 그림(모나리자)의 얼굴 특징을 분석함으로써 자신의 이론을 뒷받침할 수 있었다. 슈바르츠는 레오나르도의 자화상과 '모나리자'를 놓고 컴퓨터를 사용해서 두 이미지를 합성했다. 슈바르츠는 두 얼굴의 특징이 완벽하게 일치한다는 사실을 발견했다!
이탈리아 작가인 리나 데 피렌체는 레오나르도가 자신의 어머니인 카테리나를 그린 후에 '모나리자'라는 제목을 붙였다고 주장했다. 이 여성 작가는 그 이론(모나리자가 레오나르도 다 빈치의 어머니 카테리나라는 이론)에 대해 책까지 썼다. 모나리자의 얼굴이 레오나르도의 얼굴과 그토록 비슷해 보이는 것이 그러한 이유 때문이었을까? 여러분은 릴리안 슈바르츠와 리나 데 피렌체 중에서 누가 옳다고 생각하는가?

| 문제 해설 |

1 '모나리자'의 모델에 대한 여러 가지 주장에 대해 이야기하고 있으므로 ③이 주제로 가장 적절하다.

2 슈바르츠가 컴퓨터를 사용하여 레오나르도 다빈치와 '모나리자'의 얼굴 특징이 완벽하게 일치한다는 사실을 발견한 내용은 있지만, '모나리자'의 얼굴이 레오나르도 다빈치의 어머니의 얼굴과 일치한다는 언급은 없다. 따라서 ④가 일치하지 않는 내용이다.

3 puzzled는 동사 puzzle의 과거분사로 '당황하게 했다, 혼란시켰다'라는 뜻을 나타내므로 ⑤ confused(혼란시켰다)가 의미상 가장 가깝다.
① 속였다 ② 그림을 그렸다 ③ 가져왔다 ④ 놀라게 했다

4 슈바르츠가 레오나르도 다빈치의 얼굴과 '모나리자'의 얼굴 특징을 분석한 것은 '레오나르도 다빈치가 자신의 모습을 그린 것'이라는 이론을 뒷받침하기 위한 것으로 유추할 수 있다. 따라서 빈칸은 ③ support her theory(자신의 이론을 뒷받침하다)가 가장 적절하다.
① 자신의 오류를 공유하다 ② 자신의 연구를 그만두다 ④ 자신의 생각을 포기하다 ⑤ 자신의 철학을 확장하다

| 직독 직해 |

- 기록이 없다 / 지금까지 발견된 / 모나리자에 대하여
- 그녀는 발견했다 / 그 얼굴들의 특징들이 / 완벽하게 일치하는 것을
- 이 여성 작가는 심지어 썼다 / 책을 / 그것에 대한

Review Test (05~08) p. 28

1 ④ 2 ② 3 weigh
4 handicapped 5 mysterious 6 ②
7 to sleep → sleeping
8 themselves → each other
9 The Forbidden City was built in Beijing for the emperor to live in.
10 A baby kangaroo is about the size of a grape when born.

| 문제 해설 |

1 admire는 '존경하다, 칭찬하다'라는 뜻이므로 ④ despise(경멸하다)가 반대말이 된다.
[제라드는 그녀의 강인함과 용기를 존경한다.]
① 시도하다 ② 주장하다 ③ 포함하다 ⑤ 요구하다

2 merge는 '합병하다'라는 뜻이므로 ② separate(분리하다)가 반대말이 된다.
[그들은 자신들의 회사를 합병하기로 결정했다.]
① 설립하다 ③ 운영하다 ④ 닫다 ⑤ 시작하다

[3~5]

| 보기 | 가능하게 하다 비공식적인 불구의 신비한 무게가 ~이다

3 이 사과들은 5킬로그램의 무게가 나간다.

4 그녀는 장애가 있는 사람들에게 결코 자리를 양보하지 않는다.

5 신비한 소리가 어디선가 멀리서 들렸다.

6 ②의 when은 관계부사이다. 관계부사 when은 앞에 선행사가 있을 때 생략 가능하다. ①도 관계부사지만 선행사가 표시되어 있지 않기 때문에 생략될 수 없다.
① 그것이 그가 런던으로 떠난 이유이다.
② 내가 아기였을 때의 시간은 기억나지 않는다.
③ 가장 가까이 있는 우체국이 어디 있는지 아세요?
④ 저것이 무엇인지 나에게 말해 주시겠어요?
⑤ 그 행사는 언제인가요?

7 have trouble -ing는 '~하는 데 어려움이 있다'라는 뜻의 관용 표현이다.
[토미는 요새 잠을 자는 데 어려움이 있다.]

8 피터와 페기가 서로 싫어하기 때문에 매일 다투는 것이므로 '서로'를 의미하는 each other가 적절하다.
[피터와 페기는 서로 미워한다. 그들은 맨날 다툰다.]

Unit 03

09 | Patterns on the Ground p. 30

1 ① 2 ① 3 ⑤ 4 ⑤

| 본문 해석 |

페루의 나스카 라인은 지면 위에 있는 약 900여 개의 커다란 그림들이다. ⓐ그것들은 직선, 삼각형, 나선형, 원형 같은 것들일 수 있다. 게다가 약 70개의 거대한 동물과 식물 형상들도 있다. 더욱 장관인 몇몇 형상들은 거미, 원숭이, 꽃, 상어, 새, 도마뱀 혹은 인간 형상이다. 가장 큰 것은 가로로 200미터가 넘는다. 벌새는 길이가 약 93미터이다. 거미는 길이가 47미터 정도이다.
과학자들은 ⓑ그것들이 그 지역에 지금보다 더 많은 사람들이 살았던 기원전 500년과 기원후 500년 사이에 그려졌을 것이라고 생각한다. 그 선들은 모두 동시에, 같은 장소에서, 아마도 같은 이유로 만들어진 것은 아니었다. ⓒ그것들은 물을 찾기 위해 안내하는 경로였을 수 있다. 그것들은 또한 종교적 목적으로 이용됐던 길이었을 수도 있다. 쓰여진 기록이 없어 연구는 오늘날에도 여전히 계속되고 있다.
가장 초기 라인들은 그저 지면 위에 쌓인 돌들이었다. ⓓ다른 것들은 붉은 자갈들을 치워 ⓔ그것들 아래 하얀 땅을 보여 주기 위해 지면 위에 조각된 것들이었다. 많은 라인들이 더 오래된 것들 위에 그려졌다. 이것이 그것들의 해석을 훨씬 더 어렵게 만든다.

| 문제 해설 |

1 나스카 라인은 다양한 이유로 만들어졌을 것이라고 추측되므로 ①이 일치하지 않는 내용이다.
2 carved는 '조각된'이라는 뜻이므로 ① sculpted(조각된)가 의미상 가장 가깝다.
② 파내진 ③ 담아낸 ④ 갇힌 ⑤ 파묻힌
3 나스카 라인은 전부 동시에 같은 장소에서 같은 이유로 만들어지지 않았다고 하였고, 많은 라인들이 더 오래된 것들 위에 그려져서 그것들을 해석하는 것을 어렵게 한다고 했으므로 ⑤가 정답이다.
4 나머지 네 개는 '나스카 라인'을 가리키고 있는데, ⓔ는 '붉은 자갈들'을 가리키므로 정답은 ⑤이다.

| 직독 직해 |

- 게다가 / 있다 / 약 70개의 거대한 동물과 식물 형상들이
- 그것들은 또한 일 수 있다 / 길들 / 종교적 목적으로 사용된
- 많은 라인들이 / 그려졌다 / 더 오래된 것들 위에

10 | A Bug's Life p. 32

1 ③ 2 ③ 3 ②
4 꽃과 농작물에 해로운 곤충을 잡아먹는다.

| 본문 해석 |

유익한 동물에 대해 생각하면 어떤 종류의 동물이 떠오르는가? 사람들의 일을 도와주는 개와 같은 동물만 생각하는가?
누구나 모기에게 물리거나 거미를 보고 겁을 먹은 적이 있다. 그래서 사람들은 대개 곤충은 모두 해충이라 생각한다. 하지만, 곤충이 인간에게 얼마나 유용할지 생각해 본 적이 있는가? 꽃과 과일, 채소, 꿀이 없는 세상을 상상해 보라. 이것들은 이로운 곤충이 우리에게 주는 몇 가지에 불과하다.
꿀벌은 양초에 쓰는 밀랍이나 사람이 먹을 수 있는 맛있는 꿀을 제공한다. 그들은 또한 식물의 수분을 돕는다. 벌은 몸이 솜털로 덮여 있어서 꽃에 날아가면 몸에 꽃가루가 붙는다. 그러고 나서 벌은 그 꽃가루를 다른 꽃으로 가져간다. 수분은 사과, 포도, 당근과 같은 많은 농작물이 자라도록 돕는다. 무당벌레와 같은 다른 곤충들 또한 우리의 꽃과 농작물에 해로운 곤충을 잡아먹음으로써 우리를 돕는다.
어떤 곤충은 우리가 식량을 생산하도록 돕지만, 또 다른 곤충은 음식이 된다. 도마뱀, 물고기, 거북이와 같은 애완동물은 곤충을 먹는다. 또한 어떤 나라에서는 사람들이 개미와 흰개미, 메뚜기와 같은 곤충을 즐겨 먹는다. 곤충을 먹어 본 적이 있는가? 한 번 먹어 보고 싶은가?

| 문제 해설 |

1 이 글은 곤충이 인간에게 유익한 점들에 대해 다양한 예시를 통해 설명하고 있다. 따라서 ③이 주제로 가장 적절하다.
2 거북이와 같은 애완동물이 곤충을 먹는다는 내용은 있지만 ③의 내용은 언급하지 않았다.
3 fuzzy는 '솜털이 보송보송한'이라는 뜻이므로 ② hairy(털이 많은)가 의미상 가장 가깝다.
① 아주 작은 ③ 활동적인 ④ 시끄러운 ⑤ 가벼운
4 무당벌레와 같은 곤충들은 꽃과 농작물에 해로운 곤충을 잡아먹는 것으로 우리를 돕는다.

| 직독 직해 |

- 여러분은 단지 생각하는가 / 동물들을 / 개와 같은
- 그들은 가져간다 / 꽃가루를 / 다른 꽃으로
- 애완동물은 / 도마뱀, 물고기, 그리고 거북이와 같은 / 곤충을 먹는다

11 | Clear Beauty

p. 34

1 ② 2 ⑤ 3 ④
4 빛은 통과시키지만 바람은 차단한다.

| 본문 해석 |

유리는 오랜 역사를 갖고 있고 유연하면서 유용한 물질이다. 최초의 진짜 유리는 메소포타미아 지역에서 만들어졌다. 그것은 한 예로, 목걸이의 장식용 구슬로 사용되었다. 고대 인도와 고대 로마인들도 주로 음식이나 음료 보관 용기로 유리를 이용했다. 중세 시대에는, 고딕 성당들에 스테인드글라스 창문들이 있었다. 이것들은 역사 속의 많은 쓰임새 중 단지 일부이다.
유리의 또 다른 이용은 가정의 창문이다. 유리는 빛이 통과해 빛나게 하지만 바람을 차단한다. 우리는 오늘날 유리창을 당연한 것으로 여긴다. 하지만 그것들은 르네상스 시대에서야 가정용으로 인기를 얻게 되었다. 그 이전에, 창문들은 단지 벽면에 뚫린 구멍들이었다. 때때로 그것들은 동물 가죽과 나무 또는 천으로 덮였다.
오늘날 유리는 현대 사회에 더 많은 쓰임새를 갖고 있다. 문과 심지어 벽면이 전부 유리로 만들어질 수 있다. 일부 사무실 건물들은 유리로 완전히 덮여 있다. 유리는 또한 작은 조각상과 전등갓, 꽃병, 그리고 샹들리에 같은 장식용 아이템으로 이용된다. 더 실용적인 이용에는 향수 케이스와 안경, 태양 전지판, 그리고 컴퓨터 회로가 포함된다.

| 문제 해설 |

1 옛날부터 현대 사회까지 유리의 다양한 쓰임새에 대해 이야기하고 있으므로 ② '유리의 다양한 쓰임새'가 주제로 가장 적절하다.
① 유리의 새로운 쓰임새를 찾는 방법 ③ 유리에 관한 미스터리 풀기 ④ 집에서 유리를 만드는 방법 ⑤ 유리 공업의 혁신

2 오늘날 현대 사회에서는 벽면이 전부 유리로 만들어질 수 있다고 했으므로 ⑤는 사실과 다르다.

3 작은 조각상과 전등갓, 꽃병, 샹들리에는 장식용 아이템이므로 (A)에는 decorative(장식용의)가, 향수 케이스, 안경, 태양 전지판 등은 실용적인 이용이므로 (B)에는 practical(실용적인)이 들어가야 한다. 따라서 정답은 ④이다.
① 정확한, 사실에 기반을 둔 ② 비어 있는, 효율적인 ③ 사치스러운, 경제적인 ⑤ 화려한, 건설적인

4 가정용 창문으로 이용되는 유리는 빛이 통과해 비추이게 하지만 바람을 차단한다.

| 직독 직해 |

- 최초의 진짜 유리는 / 만들어졌다 / 메소포타미아 지역에서
- 그때 이전에 / 창문들은 이었다 / 단지 뚫린 구멍들 / 벽면에
- 일부 사무실 건물들은 / 완전히 덮여 있다 / 유리로

12 | Aliens Among Us?

p. 36

1 ① 2 ② 3 ① 4 ②

| 본문 해석 |

칼 세이건은 위대한 우주 과학자였다. 또한 그는 다른 행성에 생명체가 존재한다고 제안했던 유명한 천체 물리학자였다. 그러나 그는 우리가 단지 그 생명체를 볼 수 없을 뿐이라고 말했다. 그 생명체는 우리의 눈에 보이지 않는다. 그는 생명체가 존재할 수 있는 차원이 최소한 11가지가 있다고 우리에게 설명했다. 인간은 '빛의 존재'와 같은 생명체를 볼 수 없다. 칼 세이건에 따르면, 일부 외계인은 빛으로 만들어져 있지만 우리의 눈으로는 그들을 볼 수 없다.
칼 세이건은 물고기의 경우를 비유했다. 바닷속에 사는 물고기는 인간이 누구인지 또는 무엇인지 전혀 알지 못한다. 물고기는 우리를 이해하지 못한다. 물고기에게 인간에 대해 말해 주려 애써도 물고기는 물론 이해하지 못할 것이다. 칼 세이건은 외계인을 이해하는 문제에 대해서는 인간도 이와 같다고 설명했다. 우리는 외계인을 볼 수 없으므로 그들이 무엇인지 이해할 수 없다. 칼 세이건은 외계인이 우리를 찾아오는 것이 가능하지만, 우리는 그들을 볼 수 없다고 설명했다. 그는 외계인들이 발광체 우주선을 타고 올 가능성이 있지만, 우리는 그들을 볼 수 없다고 말했다. 우리가 물고기를 보고 알 수 있듯이 외계인은 우리를 보고 알 수 있을지 모른다.

| 문제 해설 |

1 칼 세이건은 일부 외계 생명체가 빛으로 만들어져 있다고 하였지 모든 외계 생명체가 빛의 형태라고 주장하지는 않았다. 따라서 ①이 일치하지 않는 내용이다.

2 exist는 '존재하다, 살다'라는 뜻이므로 ② survive(살아남다, 생존하다)가 의미상 가장 가깝다.
① 먹이를 주다 ③ 떠나다 ④ 극복하다 ⑤ 예상하다

3 칼 세이건은 비유를 통해 물고기가 인간을 이해할 수 없는 것처럼 인간도 외계인을 이해할 수 없다고 이야기하고 있다. 빈칸은 외계인을 이해하는 문제에 있어서 인간도 (물고기처럼) '똑같다'라고 유추할 수 있다. 따라서 ①이 정답이다.
② 노력을 한다 ③ 강력해진다 ④ 이성을 잃는다 ⑤ 특별한 재능이 있다

4 우리가 물고기를 이해하는 것처럼 그들도 우리를 이해할 수 있을 것이라는 내용이므로, They(그들)가 가리키는 것은 ② Aliens(외계인)임을 알 수 있다.
① 물고기 ③ 인간 ④ 과학자 ⑤ 11가지의 차원

| 직독 직해 |

- 생물 형태는 이다 / 눈에 보이지 않는 / 우리의 눈에
- 칼 세이건은 사용했다 / 비유를 / 물고기의
- 우리는 볼 수 없다 / 그들을 / 그래서 / 우리는 이해할 수 없다 / 그들이 무엇인지

Review Test (09~12) p. 38

1 ③	2 ②	3 harmful
4 flexible	5 imagine	6 ⑤

7 such → such as
8 of → for
9 Doors and even walls can be made entirely of glass.
10 Fish in the sea have no idea who or what humans are.

| 문제 해설 |

1 figure는 '모양'이라는 뜻이므로 ③ forms(형상, 모습)가 의미상 가장 가깝다.
[지붕 꼭대기는 동물 모양으로 장식되어 있다.]
① 그림자 ② 숫자 ④ 몸 ⑤ 사진

2 famous는 '유명한'이라는 뜻이므로 ② well-known(잘 알려진)이 의미상 가장 가깝다.
[J. K. 롤링은 세계에서 가장 유명한 작가 중 하나이다.]
① 생산성이 있는 ③ 재능이 있는 ④ 가장 잘 팔리는 ⑤ 부유한

[3~5]

| 보기 | 계속하다 눈에 보이는 유연성 있는 해로운 상상하다

3 이 버섯을 먹지 마라. 그것은 매우 해롭다.
4 체조 선수가 되려면 매우 유연해야 한다.
5 나는 내가 정치인이 된 모습을 상상할 수 없다.

6 ⑤의 [stop+to부정사]는 '하던 일을 멈추고 ~하다, ~하기 위해 멈추다'라는 뜻이며 이때 to부정사는 부사적 용법이다. 나머지 to부정사는 전부 목적어로 쓰인 명사적 용법이다.
① 비가 세차게 내리기 시작했다.
② 그녀는 새로운 음식을 먹어 보고 싶었다.
③ 그는 잠깐의 휴식 후 계속 일을 했다.
④ 그들은 그 주제를 논의하기 시작했다.
⑤ 우리는 모두 멈춰서 별똥별이 떨어지는 것을 바라보았다.

7 '~와 같은'이라는 의미의 전치사구 such as로 바꿔야 한다.
[나는 개와 고양이 같은 애완동물을 갖고 싶다.]

8 to부정사의 의미상의 주어는 사람의 성격을 나타내는 형용사가 나오는 경우를 제외하고는 [for+목적격]을 사용한다.
[나는 저런 지루한 강의는 참을성 있게 듣기 힘들다.]

Unit 04

13 | Man Against Beast p. 40

1 ③ 2 ② 3 ③ 4 ⑤

| 본문 해석 |

투우에 관한 가장 최초의 사례는 길가메시가 하늘의 황소와 싸웠을 때 〈길가메시 서사시〉에 나왔을 수 있다. 고대 로마에서도 또한 황소를 포함해 다양한 동물들과 싸우는 검투사들이 있었다. 현대의 투우는 여전히 존재하며 스페인과 포르투갈 그리고 멕시코에서 가장 유명하다. 그것은 원래 사람들이 말을 타고 황소와 싸우는 것이었다. 그리고 황소는 대개 창과 칼로 죽임을 당했다. 이 스타일은 포르투갈에서 여전히 찾아볼 수 있다. 그 나라에서는, 심지어 여자들도 투우사가 될 수 있다.
1726년에, 스페인의 투우사 프란시스코 로메로가 말을 타지 않고 걸어서 투우하는 스타일을 시작했다. 그는 황소에 아주 가까이 서서 황소를 유인하기 위해 빨간 망토를 흔들었다. 이것이 나중에 스페인과 다른 곳의 일반적인 투우 스타일이 되었다.
프랑스 일부 지역과 인도 남부 지역에서 아직도 발견되는 투우의 유형은 오히려 황소 뛰어넘기에 더 가깝다. 경기장에서 여러 투우사들은 그저 황소들을 뛰어넘는다. 그들은 황소들을 해칠 어떤 무기도 이용하지 않는다. 때때로 그들은 뿔에 묶여 있는 손수건을 잡기 위해 경쟁한다. 비록 황소들이 죽임을 당하지는 않지만, 인간들은 여전히 황소의 뿔이나 발에 의해 부상당할 수 있다.

| 문제 해설 |

1 다양한 유형의 투우에 대해 이야기하고 있으므로 정답은 ③이다.

2 스페인의 투우사 프란시스코 로메로가 말을 타지 않고 걸어서 하는 투우를 시작했다고 했으므로 정답은 ②이다.

3 빈칸 앞 문장을 보면 투우사들은 황소들을 해칠 어떤 무기도 이용하지 않는다고 했으므로 황소들은 목숨이 위험한 상황은 겪지 않을 것이다. 따라서 빈칸에 ③ killed(죽게 되는)가 오면 황소들이 죽임을 당하지는 않는다는 뜻이 된다.
① 뛰어오른 ② 공격하는 ④ 뛰고 있는 ⑤ 건너뛰는

4 포르투갈에는 여자들도 투우사가 될 수 있다고 했으므로 정답은 ⑤이다.

| 직독 직해 |

• 황소는 / 대개 죽임을 당한다 / 창과 칼로
• 그는 흔들었다 / 빨간 망토를 / 황소를 유인하기 위해
• 그들은 이용하지 않는다 / 어떤 무기도 / 황소들을 해칠

14 | In the Dark p. 42

1 ④ 2 ③ 3 ⑤
4 They are entirely blind.

| 본문 해석 |

유럽에는 '인 더 다크'라고 불리는 새로운 식당들이 있다. 이러한 식당에는 불빛이 전혀 없다. 말 그대로 이들 식당은 모두 어둠 속에 있다. 손님들은 식당의 로비로 와서 메뉴를 보고 주문을 한다. 그 다음 그들은 매우 어둡거나 칠흑 같이 캄캄한 방에 있는 테이블로 간다. 식당의 다른 곳은 완전히 어둡다. 빛이 전혀 없는 것이다. 그래서 손님들은 그들이 먹는 음식을 볼 수가 없다. 손님들은 그것을 냄새 맡을 수 있고, 그것을 만질 수는 있지만 그것을 볼 수는 없다.
여러분은 왜 이렇게 하는지 궁금할 것이다. 여기에는 몇 가지 이유가 있다. 먼저 웨이터들이 모두 시각 장애인이다. 식당 주인은 손님들이 앞을 보지 못하는 것이 어떤 것인지 경험하기를 원한다. 더군다나 식당 주인은 "우리가 먹는 음식을 보지 못하면 음식 맛이 더 좋아지고, 이러한 경험은 매우 강렬할 것입니다."라고 말한다.
그는 음식을 보는 것이 정신을 산만하게 한다고 믿고 있다. 사람들이 앞을 볼 수 없을 때 후각이나 미각과 같은 다른 감각들이 더욱 강해진다. 우리가 음식을 먹을 때 음식의 맛과 냄새에 집중한다면, 음식 맛은 더욱 좋아질 것이다. 맛있는 음식을 먹는 비결은 다음과 같다: 어둠 속에서 식사를 해라.

| 문제 해설 |

1 식당 주인이 '우리가 먹는 음식을 보지 못하면 음식 맛이 더 좋아지고, 이러한 경험은 매우 강렬할 것입니다.'라고 말하고 있으므로 ④가 정답임을 알 수 있다.
2 밑줄 친 it이 공통으로 가리키는 것은 앞 문장의 what they eat(그들이 먹는 것)이므로 ③ the food(음식)가 정답이다.
① 식당 ② 빛 ④ 맛 ⑤ 종업원
3 빈칸 이후는 사람들이 음식을 보지 못할 때 다른 감각이 발달하여 음식의 맛이 더욱 좋아질 것이라는 내용이다. 따라서 빈칸은 음식을 보는 것이 '정신을 산만하게 한다'는 ⑤ distracting이 가장 적절하다.
① 분명한 ② 맛없는 ③ 성가신 ④ 애매한
4 이 식당의 모든 종업원들이 시각 장애인이라는 점이 다른 식당과는 다른 점이다.

| 직독 직해 |

• 그들은 있다 / 모두 문자 그대로 / 어둠 속에
• 손님들은 볼 수 없다 / 그들이 먹는 것을
• 여러분은 물어볼지도 모른다 / 여러분 자신에게 / 왜 이것이 이러한지

15 | Food Wrap p. 44

1 ④ 2 ④ 3 ③ 4 ①

| 본문 해석 |

타코는 멕시코 전통 음식이며 내용물을 감싸는 부드러운 토르티야가 있다. 토르티야는 소고기, 돼지고기, 닭고기, 생선, 새우로 속을 채운다. 토르티야는 원래 옥수수로 만든 둥글고 납작한 빵이었다. (B) 그러나 오늘날의 토르티야는 밀로 만들어질 수도 있다. (C) 타코에 들어가는 다른 재료들에는 살사나 고추가 포함되어 있다. (A) 아보카도로 만드는 과카몰리도 추가될 수 있다. 타코에 넣는 채소들에는 고수 잎, 다진 토마토, 다진 양파, 그리고 얇게 썬 양배추가 포함된다.
타코의 한 가지 스타일은 외국의 영향을 받았다. 타코 알 파스토르(Tacos al pastor)는 '셰퍼드 스타일'의 타코라는 뜻으로 그것은 멕시코로 간 중동 이민자들로부터 생겨난 것이었다. 그 셰퍼드는 양치기를 뜻한다. 그러나 양고기 대신에, 돼지고기가 오늘날의 일반적인 선택이다. 그 고기가 양념에 재워지고 수직으로 매단 채 하나의 커다란 덩어리로 구워진다. 타코를 만들기 위해 이것이 얇은 조각으로 잘려진다.
타코에 대한 기본적인 발상은 유럽인들이 멕시코로 오기 전에 있었다. 그러나 그 음식의 이름은 최근 것이다. 타코라는 이름은 멕시코 은광업자들이 썼던 플러그에서 온 것이다. 지하 터널을 폭파하기 위해, 그들은 종이 포장지에 폭발물과 화약을 쌌다. 그런 다음 그것을 터널의 구멍에 꽂아 넣었다.

| 문제 해설 |

1 타코라는 이름은 멕시코 은광업자들이 썼던 플러그에서 온 것이라고 했으므로 ④가 일치하는 내용이다.
2 토르티야는 원래 옥수수로 만든 빵이라는 내용 다음에 밀로도 만들어질 수 있다는 (B)가 와야 한다. 타코의 속 재료를 나타내는 (C)가 다음에 이어지고, 또 다른 재료를 부연 설명하는 (A)가 오면 글의 흐름이 자연스럽다. 따라서 정답은 ④ (B)-(C)-(A)이다.
3 빈칸 뒤의 내용을 보면 타코의 한 유형인 '타코 알 파스토르'는 멕시코로 간 중동 이민자들로부터 생겨난 것이라고 했으므로 빈칸은 '외국의 영향'을 뜻하는 ③ foreign influence가 가장 적절하다.
① 사회적 지원 ② 지역 성장 ④ 자연 발달 ⑤ 국제적 기준
4 blast는 '폭파하다, 폭발시키다'는 뜻이므로 ① blow up(폭파하다)이 의미상 가장 가깝다.
② 전화를 끊다 ③ 양육하다 ④ 수리하다 ⑤ 지지하다

| 직독 직해 |

• 토르티야는 였다 / 원래 둥글고 납작한 빵 / 옥수수로 만든
• 그것은 생겨났다 / 중동 이민자들로부터 / 멕시코로 간
• 그것은 잘린다 / 얇은 조각들로 / 타코를 만들기 위해

16 | The Strongest Living Thing p. 46

1 ② 2 ① 3 ⑤
4 포식자로부터 몸을 숨기기 위해

| 본문 해석 |

지구상에서 가장 강한 생물이 무엇인지 추측할 수 있는가? 물속에서 가장 큰 동물인 흰긴수염고래인가? 땅에서 가장 큰 포유류인 코끼리인가? 비록 그런 동물들이 강하기는 하지만, 가장 강한 생물은 당신의 주머니에 들어갈 정도로 충분히 작은 곤충이다! 코끼리는 자기 무게의 겨우 25%를 들 수 있지만, 장수풍뎅이는 자기 무게의 850배까지 들 수 있다. 당신의 체중이 36킬로그램이라 가정해 보자. 당신이 장수풍뎅이만큼 강하다면, 3만 1천 킬로그램을 들거나 친구 850명 정도를 들 수 있다. 장수풍뎅이는 정말 강하다!
수컷 장수풍뎅이에게 코뿔소의 뿔과 비슷한 뿔이 있기 때문에 장수풍뎅이라는 이름이 붙여졌다. 이 곤충은 뿔을 사용해서 정글의 바닥으로부터 죽은 식물과 오래된 나무 등 부스러기를 들어 올린다. 그런 다음에 장수풍뎅이는 자신을 먹고 싶어 하는 위험한 포식자로부터 몸을 숨기기 위해 부스러기 속에 자신을 묻는다. 또한 장수풍뎅이는 음식을 차지하려고 다른 수컷 장수풍뎅이와 싸우기 위해서, 암컷 장수풍뎅이를 유혹하기 위해서 뿔을 이용한다. 장수풍뎅이는 매우 강하고 무서워 보이지만, 해롭지 않다. 장수풍뎅이는 뿔로 사람들을 찌르거나 물거나 다치게 하지 않는다.

| 문제 해설 |

1 장수풍뎅이가 음식을 차지하려고 다른 장수풍뎅이와 싸우기 위해 뿔을 이용한다는 내용은 있지만, ②의 내용은 언급되어 있지 않다.
2 장수풍뎅이는 코뿔소의 뿔과 비슷한 뿔이 있기 때문에 장수풍뎅이라는 이름이 붙여졌다. 따라서 정답은 ① horns(뿔)이다.
② 부스러기 ③ 곤충 ④ 코뿔소 ⑤ 수컷 장수풍뎅이
3 빈칸이 있는 문장은 장수풍뎅이는 매우 강하고 무서워 보이지만, 해롭지 않다는 내용이므로, 빈칸은 '비록 ~일지라도, ~이지만'을 뜻하는 양보의 접속사 ⑤ Even though가 가장 적절하다.
① ~할 때 ② ~이기 때문에 ③ ~하는 한 ④ 그러므로
4 장수풍뎅이는 자신을 먹고 싶어 하는 위험한 포식자로부터 몸을 숨기기 위해 부스러기 속에 자신을 묻는다.

| 직독 직해 |

- 여러분은 추측할 수 있는가 / 무엇 / 가장 강한 생물이 / 지구에서 / 인지
- 장수풍뎅이는 그러고 나서 묻는다 / 그들 자신을 / 부스러기 속에
- 그들은 쏘지 않는다 / 물거나 사람들을 다치게 하지 않는다 / 그들의 뿔로

Review Test (13~16) p. 48

1 ⑤ 2 ④
3 underground 4 creature
5 distracting 6 ④
7 to swim → swimming
8 didn't have → had
9 Other ingredients that go into a taco include salsa or chili pepper.
10 The rhinoceros beetle can lift up to 850 times its own weight.

| 문제 해설 |

1 flat은 '평평한'이라는 뜻이므로 ⑤ uneven(들쑥날쑥한)이 반대말이 된다.
[그는 테이블 위에 평평한 나무 판자를 놓았다.]
① 둥근 ② 좁은 ③ 넓은 ④ 무거운
2 vertically는 '수직으로'라는 뜻이므로 ④ horizontally(수평으로)가 반대말이 된다.
[그 공은 땅에 수직으로 떨어졌다.]
① 차분히 ② 명확히 ③ 심하게 ⑤ 빠르게

[3~5]

| 보기 | 눈 먼 지하의 산만하게 하는 마음을 끌다 생명체

3 지하수는 마실 만큼 충분히 깨끗하지 않다.
4 제리는 그가 직접 외계 생명체를 봤다고 말하지만, 아무도 그 말을 믿지 않는다.
5 나는 숙제에 집중할 수 없었다. TV 소리가 너무 정신없게 만들었다.
6 ④의 that은 목적격 관계대명사이다. that은 met의 목적어인데 관계대명사가 되어 앞으로 나온 것이다. 나머지는 모두 명사절 접속사로 쓰인 that이다.
① 우리 삼촌은 나에게 그 책을 읽으라고 제안했다.
② 네가 건강에 나쁜 습관을 끊는 것은 필수적이다.
③ 우리는 그가 새 사업을 시작했다는 사실에 놀랐다.
④ 저 사람이 제인이 파티에서 만난 소년이니?
⑤ 나는 내가 옳은 선택을 했다고 믿는다.
7 지각동사는 목적보어로 동사원형이나 현재분사를 취한다. 문맥상 고래가 바닷속을 헤엄치고 있는 모습을 본 것이므로 to swim은 현재분사 swimming으로 고치는 것이 적절하다.
[나는 몇 마리의 돌고래가 바다에서 헤엄치는 모습을 보았다.]
8 no 자체에는 부정의 의미가 있으므로 다른 부정어와 함께 사용되지 않는다. 따라서 didn't have는 had로 고쳐야 한다.
[그들은 표가 하나도 없었다.]

Unit 05

17 | Natural Preservation p. 50

1 ② 2 ④ 3 ① 4 ⑤

| 본문 해석 |

헤르쿨라네움은 유네스코 세계 문화유산이자 관광 명소이다. 그것은 폼페이를 묻히게 한 동일한 화산에 의해 묻혀졌다. 그러나 폼페이가 남쪽에 있었던 반면 그것은 화산의 서쪽에 있었다. 그 화산은 다른 쪽들보다 남쪽 지역을 더 많이 파괴시켰다. 폼페이의 많은 건물들이 붕괴되었지만 헤르쿨라네움에는 그렇지 않았다.
절정기에, 헤르쿨라네움에는 2만 명의 사람들이 있었다. 그곳에는 집, 음식점, 공중목욕탕, 체육관, 그리고 사원이 있었다. 도시가 해안에 있었기 때문에, 많은 집들이 물가 바로 옆에 있었다. 그것들 중 하나가 빌라 파피리이다. 그것은 줄리어스 시저 장인의 집이었을 수도 있다.
헤르쿨라네움은 여전히 조심스럽게 발굴되고 있다. (C) 이는 일단 고대 건물들이 노출되면, 날씨나 관광객들로 인해 훼손되기 때문이다. (B) 그리고 이 지역에 있는 현재의 집들이 온갖 발굴로 약화될 수 있다. (A) 그래서 작업자들은 현재 주민들이 살고 있는 이런 집들을 방해하지 않도록 조심한다.

| 문제 해설 |

1 헤르쿨라네움의 절정기에 공중목욕탕, 체육관, 사원이 있었다는 언급은 있지만 극장이 있었다는 내용은 없으므로 ②가 일치하지 않는 내용이다.

2 헤르쿨라네움은 화산의 서쪽에 있었고 폼페이는 남쪽에 있었다. 화산이 남쪽 지역을 더 많이 파괴시켜서 폼페이의 피해가 헤르쿨라네움보다 더 컸다. 두 도시가 화산의 다른 방향에 위치했었기 때문에 피해 상황이 달랐던 것으로 볼 수 있다. 따라서 정답은 ④이다.

3 height는 '절정, 정상'이라는 뜻이므로 ① peak(절정, 정점)가 의미상 가장 가깝다.
② 중심 ③ 타락, 부패 ④ 비행, 비상 ⑤ 소멸, 멸종

4 헤르쿨라네움이 조심스럽게 발굴되는 이유를 설명하는 (C)가 먼저 오고, 발굴로 인해 현재의 집들이 약화될 수 있다는 내용의 (B)가 이어진다. 그래서 작업자들이 현재 주민들을 위해 조심스럽게 작업한다는 내용의 (C)가 오면 글의 흐름이 자연스럽다. 따라서 정답은 ⑤ (C) – (B) – (A)이다.

| 직독 직해 |

- 그것은 묻혔다 / 동일한 화산에 의해 / 폼페이를 묻히게 한
- 많은 건물들이 붕괴했다 / 폼페이에서 / 하지만 헤르쿨라네움에서는 아니었다
- 작업자들은 조심한다 / 방해하지 않기 위해 / 그런 집들을

18 | Alex, the Talking Parrot p. 52

1 ③ 2 ⑤ 3 ⑤ 4 ③

| 본문 해석 |

앵무새는 크고 화려한 새이다. 앵무새는 흉내를 잘 내기 때문에 주변에 있으면 재미있다. 그러나 이들에게도 지능이 있을까? 앵무새가 포유동물처럼 복잡한 일을 할 수 있을까? 앵무새들이 말할 때 이들은 자신이 하는 얘기가 무슨 뜻인지 정말 알까?
과학자들은 오랫동안 이런 질문을 해 왔다. 1980년대까지 대부분의 과학자들은 앵무새들이 흉내는 잘 내지만 실제로 대화를 할 능력은 없다고 믿었다. 그런데 아이린 페퍼버그 박사와 그녀의 회색앵무 알렉스는 이러한 견해를 바꿨다. 그들은 30년 이상 함께 일하면서 앵무새들은 단순히 영리한 모방자나 즐거움을 주는 새 이상이라는 것을 입증하려고 했다.
이들은 알렉스가 실제로 말을 하거나 소리를 낼 수 있다는 것을 보여 주었다. 그는 150개 이상의 단어를 구사했으며 털실, 나무, 사각형, 원, 열쇠와 같은 사물을 최소한 50개는 구별할 수 있었다. 그는 0에서 6까지 셀 수 있었으며 각 수의 가치를 알고 있었다. 그는 또한 색깔을 구별했으며, '더 크다' 와 '더 작다', '같다'와 '다르다'의 개념을 알고 있었다.
2007년 9월 6일 페퍼버그 박사는 그녀의 앵무새 알렉스와 마지막 대화를 했다. 그녀는 알렉스에게 잘 자라고 얘기했으며, 그는 "잘 지내. 사랑해."라고 대답했다. 알렉스는 그날 저녁에 죽었다. 그의 나이는 31살이었다.

| 문제 해설 |

1 알렉스가 최소한 50개 이상의 사물을 구별할 수 있다고 하였지만 150개 이상의 사물을 구별할 수 있는지는 알 수 없다. 따라서 ③이 일치하지 않는 내용이다.

2 complex는 '복잡한'이라는 뜻이므로 ⑤ complicated(복잡한, 어려운)가 의미상 가장 가깝다.
① 분명한 ② 상세한 ③ 섬세한 ④ 흥미로운

3 대부분의 과학자들은 앵무새들이 흉내는 잘 내지만 실제로 대화를 할 능력은 없다고 믿고 있었다. 아이린 페퍼버그 박사와 그녀의 앵무새 알렉스는 바로 이러한 견해를 바꾸고자 노력했다. 따라서 정답은 ⑤이다.

4 빈칸이 있는 문장의 내용은 알렉스가 비교의 개념을 이해하고 있다는 내용이므로 빈칸은 ③ concepts(개념)가 가장 적절하다.
① 주제 ② 소설 ④ 기적 ⑤ 편견

| 직독 직해 |

- 그들은 재미있다 / 주변에 있으면 / 그들의 똑똑한 흉내 때문에
- 그들은 보냈다 / 30년 이상을 / 함께 일하는 데 / 그것을 입증하기 위해
- 페퍼버그 박사는 가졌다 / 그녀의 마지막 대화를 / 그녀의 친구 알렉스와

19 | Parlor Game p. 54

1 ③ 2 ⑤ 3 ② 4 ④

| 본문 해석 |

우리는 누가 탁구를 만들어 냈는지 정확히 모른다. 하지만 그 스포츠는 1800년대 후반에 인도와 남아프리카에서 영국 장교들 사이에서 유명해지게 되었다. 그 경기는 원래 주택들의 응접실에서 행해졌다. 그것은 그 즈음에 인기를 얻고 있었던 잔디 테니스의 실내 버전이었다. 영국의 스포츠 회사, 존 자크스 앤드 손(John Jaques & Son)이 1898년에 최초로 대중적인 탁구 세트를 만들었다. 국제 탁구 연맹(ITTF)은 1926년에 결성되었다.

경기의 규칙은 테니스와 유사하지만 실내에서 경기한다. 처음에는 골프공, 네트와 라켓으로서 책을 이용해 경기를 했다. 사람들이 나중에 치는 면이 고무와 스펀지가 있는 특별한 라켓을 만들었다. 그리고 공은 속이 빈 플라스틱 공이 되었다.

올림픽 탁구는 1988년에 시작했다. 2000년 올림픽에서의 새로운 규정들이 그 경기를 더 빠르고 더 흥미진진하게 만들었다. 경기는 예전에는 21점까지 내는 것이었다. 이제는 11점이 되었다. 예전에는 각 선수가 (서브를) 바꾸기 전에 다섯 차례 서브를 넣었다. 이제는 바꾸기 전에 단 두 번만 서브를 넣는다. 서브하는 사람은 공을 공중으로 16센티미터 높이 던져야 한다. 그렇게 하면 서브를 받는 것이 더 쉽다.

| 문제 해설 |

1 탁구는 처음에 골프공을 이용해 경기를 했다고 했으므로 ③이 일치하는 내용이다.

2 formed는 '만들어진, 결성된'이라는 뜻이므로 ⑤ founded (설립된, 창설된)가 의미상 가장 가깝다.
① 통합된 ② 확인된 ③ 제외된 ④ 결합된

3 similar는 '~와 유사하다'는 뜻으로 전치사 to와 결합하여 be similar to의 형태로 쓰이므로 (A)는 to가 적절하다. 라켓은 고무와 스펀지를 부착한 것이므로 '~을 가지고 있는'을 뜻하는 with가 (B)에 와야 한다. 따라서 정답은 ②이다.

4 올림픽 탁구의 경우 예전에는 각 선수가 다섯 번씩 서브를 넣었지만 이제는 두 번씩만 서브를 넣는다고 했으므로 ④가 일치하지 않는 내용이다.

| 직독 직해 |

- 우리는 모른다 / 정확히 / 누가 만들었는지 / 탁구를
- 새로운 규정들이 만들었다 / 그 경기를 더 빠르게 / 그리고 더 흥미있게
- 그렇게 하면 / 서브는 더 쉽다 / 받기가

20 | Without a Trace p. 56

1 ① 2 ② 3 ⑤ 4 ③

| 본문 해석 |

과거에 도둑과 강도는 돈이나 물건을 훔치려면 사람들의 집에 침입해야 했다. 경찰과 자택 보안 경보가 많은 사람들이 범죄의 희생자가 되는 것을 막아 주었다. 이제 컴퓨터 시대가 범죄의 성격을 바꾸었다. 범죄자가 당신의 집에 들어가지 않고서도 당신의 돈이나 소유물을 가져가는 것이 가능하다. 이런 새로운 종류의 범죄는 사이버 범죄로 알려져 있다.

사이버 범죄자는 컴퓨터를 사용해서 사람들의 정보나 돈을 훔친다. 해커와 신분 도용 도둑은 두 가지 다른 종류의 사이버 범죄자이다. 해커는 사람들의 개인적인 정보를 빼낼 방법을 찾는다. 때때로 이런 정보는 암호와 같은 중요한 비밀 정보일 수도 있다. 해커는 다른 사람들의 암호를 가지고 웹 사이트를 점령해 버리거나 중요한 사업상의 정보를 훔칠 수 있다. 신분 도용 도둑은 개인 정보를 훔치고 그 정보를 사용해서 그 사람 행세를 한다. 신분 도용 도둑이 개인 정보를 훔치는 데 성공하면, 그 사람의 정보를 이용해서 은행 계좌로부터 직접 돈을 인출할 수 있다.

다행스럽게도, 사람들은 사이버 범죄로부터 자신을 보호하는 방법을 배우고 있다. 오늘날에는 컴퓨터 보안용 소프트웨어를 판매하는 회사가 있고, 전 세계적으로 경찰은 이 새로운 유형의 범죄자를 붙잡기 위한 새로운 방법을 배우고 있다.

| 문제 해설 |

1 두 번째 문단은 사이버 범죄자인 해커와 신분 도용 도둑, 즉 두 가지 다른 유형의 사이버 범죄에 대해 설명하고 있으므로 '사이버 범죄의 두 가지 주요 유형'을 뜻하는 ①이 주제로 가장 적절하다.
② 재산 범죄 예방 ③ 온라인 암호 절도 ④ 미래의 범죄 ⑤ 컴퓨터 오류

2 prevent는 '막다, 방지하다'라는 뜻이므로 ② stop(막다, 멈추다)이 의미상 가장 가깝다.
① 지우다 ③ 속이다 ④ 점검하다 ⑤ 기억하다

3 마지막 줄에서 경찰은 새로운 유형의 범죄자(사이버 범죄자)를 붙잡기 위한 새로운 방법을 배우고 있다고 했으므로 ⑤가 일치하지 않는 내용이다.

4 사이버 범죄에 노출되어 있지만, 사람들이 자신을 보호하는 방법을 배우고 있으므로 Fortunately(다행스럽게도)가 빈칸에 오는 것이 가장 적절하다. 따라서 정답은 ③이다.
① 간략하게 ② 절대적으로 ④ 믿을 수 없게도 ⑤ 유감스럽게도

| 직독 직해 |

- 이제 / 컴퓨터 시대가 바꾸었다 / 범죄의 성격을
- 해커는 찾는다 / 방법들을 / 사람들의 개인 정보를 빼낼
- 있다 / 회사들이 / 소프트웨어를 파는 / 컴퓨터 보안을 위한

Review Test (17~20) p. 58

1 ② 2 ①
3 international 4 surface 5 robber
6 ④
7 may leave → may[might] have left
8 what is he doing → what he is doing
9 The sport became popular among British officers in India.
10 Police helped prevent lots of people from being victims of crimes.

| 문제 해설 |

1 uncover는 '밝히다, 발견하다'라는 뜻이므로 ② discovered(발견했다)가 의미상 가장 가깝다.
[경찰은 그 그림이 가짜라는 것을 밝혔다.]
① 논쟁했다 ③ 숨겼다 ④ 그렸다 ⑤ 발표했다

2 vocabulary는 '어휘'라는 뜻이므로 ① words(단어)가 의미상 가장 가깝다.
[그 어린이들은 새로운 어휘를 배우는 중이다.]
② 문장 ③ 시험 ④ 글 ⑤ 문법

[3~5]

|보기| 표면 ~인 척하다 붕괴되다 국제적인 강도

3 UN은 세계에서 가장 큰 국제기구이다.
4 표면에 깊게 긁힌 자국이 있다.
5 강도가 그녀에게 금고를 열도록 강요했다.
6 ④의 once는 뒤에 [주어+동사]를 이끄는 부사절 접속사이다. 부사절 접속사 once는 when[as soon as]의 의미로 쓰인다. 나머지는 모두 부사로 쓰였다.
① 나는 그를 한 번 만나 봤을 뿐이다.
② 나는 전에 뉴욕에 한 번 가 봤다.
③ 그녀는 일주일에 한 번 영화를 본다.
④ 그는 일자리를 구하자마자 이사를 갔다.
⑤ 그것을 다시 한 번 설명해 주겠니?
7 불이 모두 꺼진 것으로 보아 모두가 이미 사무실에서 나가고 없을 것이라는 의미가 되어야 한다. 사무실을 나간 것은 과거 사실이므로 과거 사실을 추측하는 조동사 표현을 써야 한다. 따라서 may[might] have p.p.형이 적절하다.
[모두가 사무실을 나간 것인지도 모른다. 불이 다 꺼져 있다.]
8 의문사가 있는 간접의문문은 [의문사+주어+동사]의 어순을 취한다.
[그가 무엇을 하고 있는지 나에게 말해 줄 수 있니?]

Unit 06

21 | A Change in Russia p. 60

1 ④ 2 ① 3 ② 4 계몽사상

| 본문 해석 |

표트르 대제는 러시아를 근대화했고 그 영토도 확장했다. 그의 통치 하에 러시아는 1600년대의 중세 왕국에서 1700년대의 주된 유럽 세력이 되었다. 러시아는 모스크바의 작은 왕국에서, 남쪽으로 흑해와 북쪽으로 발트 해까지 확장되었다.
근대화는 계몽사상을 채택하는 것으로 이루어졌다. 러시아의 정치 구조는 점점 더 서유럽화되었다. 그는 지역의 수를 166개에서 8개로 간소화했다. 유럽 스타일의 의류와 남성들의 짧은 머리가 도입되었다. 전통적인 긴 머리와 수염, 그리고 예복을 고수한 러시아 인들에게는 세금이 부과되었다.
영토 확장은 오스만 제국과의 전투와 흑해 지역의 지배로 이루어졌다. 러시아는 또한 스웨덴과 싸워 발트 해의 땅을 얻었다. 러시아의 확장을 위한 더 많은 동맹국들을 찾기 위해, 표트르 대제는 1697년에 서유럽으로 여행을 떠났다. 하지만 이 위대한 사절단은 많은 동맹국들을 얻는 데 실패했다. 그 이유는 프랑스는 오스만 제국을 옹호했고 다른 나라들은 스페인의 차기 왕 선정에 대해 더 걱정하고 있었기 때문이다.

| 문제 해설 |

1 이 글은 표트르 대제가 러시아를 근대화하고 영토를 확장한 내용을 다루고 있는데 ④ '러시아의 경제적 상황'은 언급하지 않았다.
2 빈칸 뒤의 내용을 보면 러시아 인들이 전통적인 긴 머리와 수염, 예복을 고수할 경우 세금이 부과되었다고 하였다. 따라서 빈칸이 있는 문장의 내용은 유럽 스타일의 의류와 짧은 머리가 도입되었기 때문으로 추측할 수 있으므로 빈칸은 ① introduced(도입된)가 가장 적절하다.
② 금지된 ③ 나누어진 ④ 통제된 ⑤ 차단된
3 러시아의 표트르 대제는 오스만 제국과 전투하여 흑해 지역을 지배하게 되었다고 했으므로 ②가 일치하는 내용이다.
4 러시아의 근대화는 계몽사상을 채택하는 것으로 이루어졌다.

| 직독 직해 |

- 러시아의 정치적 구조는 / 점점 더 되었다 / 서유럽처럼
- 러시아 인들은 / 그들의 전통적인 긴 머리를 유지하는 / 세금이 부과되었다
- 러시아는 또한 / 스웨덴과 싸웠다 / 그리고 땅을 얻었다 / 발트 해의

22 | Pets in the Future
p. 62

1 ③ 2 ② 3 ② 4 ②

| 본문 해석 |

여러분은 로봇 개나 고양이를 애완동물로 기르는 것이 어떨지 생각해 본 적이 있는가? 현대 기술은 항상 새로운 로봇 애완동물을 만들고 있다. 여러분은 로봇 고양이와 개, 원한다면 심지어 로봇 공룡까지 구매할 수 있다.
로봇 애완동물은 걷고 음성 명령을 인지하며 눈의 역할을 하는 카메라를 이용하여 자신 앞에 무엇이 있는지 인식할 수 있다. 일부 로봇은 상대방과 대화를 할 수 있는 적외선 대화와 탐지 기능이 있다. 여러분은 심지어 일부 로봇 애완동물에게 새로운 것을 가르칠 수도 있다.
로봇 애완동물들은 인공 지능을 사용하여 여러 가지 재주를 부릴 수 있다. 이들이 잘 훈련받은 개나 다른 동물처럼 많은 재주를 부릴 수는 없지만 미래에 로봇 애완동물들이 어떤 것을 할 수 있을지 누가 알겠는가? 최신 로봇 애완동물들은 귀에 두 개의 마이크가 있어 들을 수 있다. 이들은 또한 발에 특수 센서가 있어 균형을 유지하고 걸을 수 있다. 그들은 심지어 춤을 추고 음악을 들을 수도 있다.
로봇 애완동물은 실제 애완동물과 다르다. 먹이를 주거나 산책시킬 필요도 없다. 그렇지만 언젠가 실제 애완동물과 로봇 애완동물이 좋은 친구가 될 수 있을지 궁금하다.

| 문제 해설 |

1 이 글은 로봇 애완동물이 인공 지능을 통해 다양한 기능을 수행함을 설명하고 있다. 따라서 ③이 주제로 가장 적절하다.

2 commands는 '명령'이라는 뜻이므로 ② orders(명령)가 의미상 가장 가깝다.
① 자료 ③ 이유 ④ 장치 ⑤ 기능

3 글쓴이는 로봇 애완동물이 언젠가 실제 애완동물과 좋은 친구가 될 수 있을지 궁금하다고 했으므로, 현재 실제 애완동물과 친구처럼 지낸다고 볼 수 없다. 따라서 ②가 일치하지 않는 내용이다.

4 로봇 애완동물의 여러 기능들이 소개되고 있지만 '비행'에 대한 언급은 없었다. 따라서 정답은 ② flight(비행)이다.
① 시력 ③ 청력 ④ 의사소통 ⑤ 균형 감각

| 직독 직해 |

- 현대 기술은 만들고 있다 / 새로운 로봇 애완동물을 / 항상
- 여러분은 심지어 가르칠 수 있다 / 몇몇 로봇 애완동물에게 / 새로운 것을
- 여러분은 할 필요가 없다 / 그들을 먹이는 것을 / 또는 그들을 산책시키는 것을

23 | Life in Motion
p. 64

1 ② 2 ⑤ 3 ② 4 ④

| 본문 해석 |

영화의 발달은 1890년대에 일어났다. 이때는 활동사진 카메라가 발명된 때였다. 필름 한 통을 이용해 연속적으로 장면을 촬영할 수 있었다. 필름의 각 프레임은 앞선 것의 바로 직후에 찍힌 사진이었다. 우리는 어떤 이미지든 아주 짧은 순간만 기억하기 때문에 눈이 움직임의 환영을 보는 것이다.
최초의 이런 활동사진 카메라들은 필름 한 통을 썼다. 그래서 이렇게 만든 영화는 대개 길이가 1분 미만이었다. 그리고 그것은 흑백에 소리가 없었다. 후에 카메라들은 한 영화를 위해 여러 통의 필름을 썼다. 다음 필름 한 통이 영사기에 끼워 넣어지는 동안 영화가 중단이 되었을 것이다. 최초의 그런 다중 필름 영화는 1906년쯤에 등장했다.
영화들이 길어짐에 따라, 필름 조각들을 자르고 붙이는 편집이 시작되었다. 그러자 관객들은 한 영화에서 여러 가지 다양한 장면들을 볼 수 있었다. 더 복잡한 이야기가 그 후에 필름을 통해 이야기될 수 있었다. 영화들이 각각의 장소에서 일어나는 여러 가지의 활동들을 보여 주기 시작했다.

| 문제 해설 |

1 이 글은 필름 한 통을 이용해 연속적으로 장면을 촬영하던 초기의 영화에서 다중 필름 영화의 등장, 영화 편집의 발달 과정을 보여 주고 있으므로 ② '영화의 발전 과정'이 주제로 가장 적절하다.

2 영화 필름은 사진 프레임이 이어진 것이고, 우리는 매우 짧은 순간 동안의 이미지를 기억한다고 했다. 따라서 영화를 볼 때 우리의 눈은 사물이 움직이고 있다고 착각을 하거나 환영을 보는 것으로 추론할 수 있으므로 빈칸은 ⑤ illusion(착각, 환영)이 가장 적절하다.
① 전시 ② 멈춤 ③ 광경 ④ 행위

3 필름의 각 프레임은 앞선 것의 바로 직후에 찍힌 사진이라고 했으므로 ②가 일치하는 내용이다.

4 주어진 문장은 '다음 필름 한 통이 영사기에 끼워 넣어지는 동안 영화가 중단이 되었을 것이다.'라는 뜻이므로, 활동사진 카메라가 영화 촬영을 위해 여러 통의 필름을 사용하게 된 상황에 대한 부연 설명이다. 따라서 (D)에 오는 것이 가장 적절하다.

| 직독 직해 |

- 그것은 연속적으로 촬영할 수 있었다 / 장면을 / 필름 한 통을 이용하여
- 후에 카메라들은 사용했다 / 여러 통의 필름을 / 한 영화를 위해
- 더 복잡한 이야기가 / 그 이후에 이야기될 수 있었다 / 필름을 통해

24 | Powerful Lizard p. 66

1 ④ 2 ③ 3 ④ 4 ⑤

| 본문 해석 |

코모도왕도마뱀은 세계에서 가장 무겁고 힘이 센 도마뱀이다. 그들은 길이가 10피트까지 자라고 무게는 200파운드만큼 나갈 수 있다. 이들의 크기에도 불구하고 코모도왕도마뱀은 민첩하며 개만큼 빨리 달릴 수 있다. 코모도왕도마뱀은 비늘 모양의 회갈색 피부로 덮여 있으며, 긴 목과 꼬리를 가지고 있다. 그들의 꼬리는 몸통 길이보다 더 길다.
이들의 서식지는 인도네시아의 섬인 코모도, 플로레스 그리고 린카이다. 이 무시무시한 코모도왕도마뱀에게는 흥미로운 점이 있다. 혼자 산다는 것이다! 이들은 번식을 할 때에만 상대방을 찾는다. 다른 도마뱀들처럼 코모도왕도마뱀은 육식 동물이어서 죽은 동물, 사슴, 다른 도마뱀 그리고 훨씬 큰 물소를 비롯한 거의 모든 것을 먹는다.
불행하게도 코모도왕도마뱀은 멸종 위기에 처해 있다. 약 4,000~5,000마리 정도가 야생에서 살고 있다. 화산 활동, 지진, 화재, 관광, 그리고 이들의 먹이가 되는 동물의 밀렵 등 이 모든 것이 코모도왕도마뱀을 멸종 위기에 이르게 했다. 이 도마뱀들은 지금 보호 상태에서 사육되고 있지만 야생에서도 계속해서 살아남을 수 있을지 지켜봐야 할 것이다.

| 문제 해설 |

1 이 글은 코모도왕도마뱀의 다양한 특징들을 설명하고 있는데 코모도왕도마뱀의 천적에 해당하는 '포식자'에 대한 언급은 없다. 따라서 ④가 정답이다.
① 코모도왕도마뱀의 먹이 ② 코모도왕도마뱀의 크기 ③ 코모도왕도마뱀의 서식지 ⑤ 코모도왕도마뱀의 개체 수

2 코모도왕도마뱀의 꼬리는 몸통 길이보다 더 길다고 했으므로 ③이 일치하지 않는 내용이다.

3 carnivorous는 '육식성의'라는 뜻이므로 ④ meat-eating(육식성의)이 의미상 가장 가깝다.
① 빠른 ② 충성스러운 ③ 활동적인 ⑤ 놀라운

4 마지막 문단은 코모도왕도마뱀이 멸종 위기에 처한 상황을 설명하고 있으므로 빈칸에 공통으로 들어가기에 가장 적절한 말은 ⑤ endangered(멸종 위기의)이다.
① 안전한 ② 중요한 ③ 증가하는 ④ 부주의한

| 직독 직해 |

- 그들의 크기에도 불구하고 / 그들은 민첩하다 / 그리고 달릴 수 있다 / 개처럼 빠르게
- 있다 / 흥미로운 점이 / 이 무시무시한 동물에 대한
- 그들은 찾는다 / 서로를 / 번식을 위해서만

Review Test (21~24) p. 68

1 ③ 2 ⑤ 3 paste
4 agile 5 traditional 6 ③
7 more bigger → bigger
8 a funny story me
→ me a funny story 또는 a funny story to me
9 Modernization was done by adopting Enlightenment ideas.
10 The lizards are now being bred in captivity.

| 문제 해설 |

1 expand는 '부풀다, 팽창하다'의 뜻이므로 ③ shrink(줄어들다)가 반대말이 된다.
[풍선을 불면 그것은 부풀어 오를 것이다.]
① 올라가다 ② 떨어지다 ④ 발사하다 ⑤ 터지다

2 natural은 '자연의'라는 뜻이므로 ⑤ artificial(인공적인)이 반대말이 된다.
[그는 사진에 자연광을 이용하기 위해서 스튜디오 밖으로 나갔다.]
① 약한 ② 강한 ③ 태양의 ④ 달의

[3~5]

| 보기 | 다수의 붙이다 전통적인 민첩한 적외선의

3 마우스를 이용해서 텍스트를 자르고 붙일 수 있다.

4 그는 다섯 골을 기록했는데, 아무도 그를 막을 수 없었다. 그는 매우 빠르고 민첩했다.

5 많은 한국인들이 추석이나 설날과 같은 명절에 전통 의복을 입는다.

6 enjoy는 동명사만을 목적어로 취할 수 있다. 나머지 begin, prefer는 동명사와 to부정사를 둘 다 목적어로 취할 수 있다.
① 나는 노래를 부르기 시작했다.
② 나는 노래를 부르기 시작했다.
③ 나는 음악 감상을 즐긴다.
④ 나는 음악 감상을 즐긴다.
⑤ 나는 집에서 영화를 보는 것을 선호한다.

7 형용사의 비교급은 1음절 단어에는 -(e)r을 붙이고 2음절 이상의 긴 단어에는 [more+원급] 형태를 사용한다. 즉 more와 bigger를 함께 쓸 수 없고 bigger만 써야 한다.
[호랑이는 고양이보다 크다.]

8 수여동사는 뒤에 간접 목적어(~에게), 직접 목적어(~을/를) 순으로 나온다. 두 목적어의 순서를 바꿀 때에는 간접 목적어 앞에 적절한 전치사를 사용하는데, tell의 경우 전치사 to를 사용한다.
[해리가 오늘 나에게 재미있는 이야기를 해 주었다.]

Unit 07

25 | Massive Planet p. 70

1 ②　2 ④　3 ⑤
4 태양에서 아주 멀리 떨어져 있기 때문에

| 본문 해석 |

목성은 우리 태양계에서 가장 큰 행성이다. 실제로, 그것은 다른 행성들을 모두 합친 무게보다도 두 배 넘게 무겁다. 그러나 이것은 태양에서도 아주 멀리 있다. 따라서 그 표면 온도가 섭씨 영하 145도이다. 이 때문에, 그 표면에는 가스가 많이 있다. 이런 이유로 그 행성은 '가스상 거대 행성'이라고 불린다. 행성의 회전은 그것을 편평한 공으로 만들었다. 그리고 지구가 1년에 한 번 태양의 궤도를 도는 반면, 목성은 12년에 한 번 돈다.
그 표면 가스는 89%가 수소, 10%가 헬륨이다. 기타 1%가 흰색, 노란색, 빨간색, 그리고 갈색의 외관을 갖게 한다. 표면에 있는 하나의 큰 특징은 대적점(大赤點)이다. 그것은 지구보다 폭이 세 배 더 넓은 거대한 허리케인이다. 그것은 1665년에 이탈리아인 과학자 카시니에 의해 처음 목격되었다. 목성에는 또한 1979년에 발견된 세 개의 얇은 고리도 있다.
목성의 가장 큰 위성 네 개는 1610년경에 갈릴레오에 의해 발견되었다. 가장 큰 위성 가니메데는 행성인 수성보다 더 크다. 목성을 미니 태양계처럼 만드는, 적어도 62개의 위성들이 있다.

| 문제 해설 |

1 목성의 표면에는 대적점이 있는데 지구보다 폭이 세 배 더 넓은 거대한 허리케인이라고 했으므로 ②가 일치하는 내용이다.
2 빈칸이 있는 문장은 지구와 목성의 태양 공전 주기를 대조하는 내용이므로, 빈칸은 반대와 대조를 나타내는 ④ while(~인데도, ~인 반면에)이 적절하다.
① 만약 ~라면 ② ~까지 ③ ~인지 아닌지 ⑤ ~ 때문에
3 목성은 표면 가스의 1%를 차지하는 다른 가스 성분들로 인해 다양한 색깔의 외관을 갖는다고 했으므로 ⑤가 정답이다.
4 목성은 태양에서 아주 멀리 떨어져 있어서 표면 온도가 섭씨 영하 145도이다.

| 직독 직해 |

- 이것 때문에 / 있다 / 가스가 많이 / 그 표면에
- 그것은 이다 / 큰 허리케인 / 세 배 더 넓은 / 지구보다
- 목성은 또한 가진다 / 세 개의 얇은 고리를 / 발견된 / 1979년에

26 | Vikings in Canada p. 72

1 ④　2 ⑤　3 ④　4 ④

| 본문 해석 |

유럽인들이 최초로 아메리카 대륙에 간 것은 언제였을까? 이런 질문에 대한 가장 공통적인 대답은 1492년이다. 하지만 캐나다 래브라도 주 사람들에게 묻는다면 그들은 아마도 1003년이라고 대답할 것이다.
약 1천 년 전에 유럽의 많은 지역은 바이킹이라 불리던 사람들의 지배를 받았다. 바이킹은 도적질과 살인으로 잘 알려져 있지만, 배를 다루는 기술로도 유명하다. 오래된 바이킹 이야기 중에는 배를 타고 바다를 건너 빈랜드라 불리는 먼 땅에 도착한 한 남자에 대한 이야기가 있다. 오랫동안 사람들은 빈랜드가 이야기 속에만 존재한다고 생각했다. 그것은 사람들이 랑스 오 메도즈에 있는 마을을 발견하기 전의 일이었다.
1960년에 한 고고학자가 캐나다의 동쪽 지역에서 고대 유럽 마을을 발견했을 때 세계는 충격에 휩싸였다. 이 마을에는 바이킹이 세웠던 것과 같은 건물이 있고 바이킹이 사용했던 것과 같은 배가 있었다.
발견되기를 기다리고 있는 다른 마을이 없다면 현재로서는, 유럽인들이 최초로 북아메리카에 왔던 시기는 1003년이라고 말할 수 있다.

| 문제 해설 |

1 최초로 아메리카 대륙에 도착한 유럽인들은 1003년에 도착한 바이킹이라는 주장과 근거에 대한 글이므로 ④가 글의 요지로 가장 적절하다.
2 ruled는 '지배를 받은'이라는 뜻이므로 ⑤ governed(지배를 받은)가 의미상 가장 가깝다.
① 버려진 ② 구조된 ③ 배달된 ④ 공격을 받은
3 다른 마을이 발견되지 않는다면, 현재로서는 1003년이라는 시기가 가장 타당하다는 말이므로 빈칸은 ④ unless(~하지 않는다면)가 가장 적절하다.
① 비록 ~이지만 ② ~하는 동안 ③ ~하는 한 ⑤ ~인지 아닌지
4 한 고고학자가 고대 마을을 발견했고, 이를 통해 바이킹이 콜럼버스보다 아메리카 대륙에 더 일찍 도착했다는 것을 알 수 있다. 따라서 '고고학자들이 흔적을 발견했으며 이것은 바이킹이 콜럼버스보다 더 일찍 아메리카 대륙에 도착했다는 것을 증명하고 있다.'라는 문장이 완성되므로 정답은 ④ trace(흔적), earlier(더 일찍)이다.
① 사람들, 더 빨리 ② 증거들, 더 늦게 ③ 도자기들, 더 일찍 ⑤ 이야기들 , 더 많이

| 직독 직해 |

- 가장 공통적인 대답은 / 이런 질문에 대한 / 1492년이다
- 유럽의 많은 지역은 / 지배를 받았다 / 사람들에 의해 / 바이킹이라 불리는

• 사람들은 생각했다 / 빈랜드가 단지 존재했다고 / 이야기 속에

27 | A Unique Animal p. 74

1 ④ 2 ⑤ 3 ③
4 밤에만 활동하기 때문에

| 본문 해석 |

새는 알을 낳고 이빨이 없으면서 부리와 두 발이 달린 동물이다. 그러나 알을 낳고, 오리의 부리를 가졌지만 새가 아닌 동물이 있다. 무엇인지 추측할 수 있는가?
오리의 부리를 가진 오리너구리라고 추측했다면 당신의 추측은 옳다. 오리너구리는 새가 아닌 포유류다. 포유류는 머리카락이나 털이 달려 있으면서 새끼에게 젖을 먹인다. 과학자들은 이 특이한 동물을 처음 발견했을 때 어떻게 분류해야 할지 몰랐다. 과학자들은 여러 해가 지나고 나서야 오리너구리가 오리보다는 비버와 공통점이 더 많다는 결론을 내렸다!
이 수줍음 많은 동물에게는 다른 흥미로운 특징이 있다. 수컷 오리너구리의 양쪽 발뒤꿈치에는 속이 빈 가시가 있다. 여기에는 독이 가득 들어 있어서 적에 대항하기 위한 무기로 사용된다.
오리너구리는 길이가 40~60센티미터이고, 개울과 호수의 가장자리 근처에 산다. 이들을 보고 싶다면 여행 가방을 챙기고 손전등을 가져갈 필요가 있다. 이 이상야릇한 동물은 오스트레일리아에서만 발견되는데 모든 야행성 동물과 마찬가지로 밤에만 나온다.

| 문제 해설 |

1 오스트레일리아에서만 발견되며 알을 낳고 오리의 부리를 가졌지만, 새가 아니고 포유류인 오리너구리에 대해 이야기하고 있다. 따라서 '오스트레일리아의 이상한 포유동물'을 뜻하는 ④가 제목으로 가장 적절하다.
① 오리의 기원 ② 오스트레일리아의 다양한 동물들 ③ 포유류의 역사 ⑤ 오스트레일리아의 자연 환경
2 오리너구리의 독은 양쪽 발뒤꿈치의 속이 빈 가시에 있다고 했으므로 ⑤가 일치하지 않는 내용이다.
3 classify는 '분류하다'라는 뜻이므로 ③ sort(분류하다, 구분하다)가 의미상 가장 가깝다.
① 통합하다 ② 관찰하다 ④ 발표하다 ⑤ 연구하다
4 오리너구리는 모든 야행성 동물과 마찬가지로 밤에만 나온다.

| 직독 직해 |

• 포유류는 이다 / 모든 동물 / 젖을 먹이는 / 새끼들에게
• 가시는 사용된다 / 무기로 / 적에 대항하는
• 오리너구리는 산다 / 가장자리 근처에 / 개울과 호수의

28 | Artistic Vision p. 76

1 ③ 2 ② 3 ④ 4 ②

| 본문 해석 |

예술이란 무엇인가? 사람들은 이 간단한 질문을 수천 년 동안이나 해 왔다. 일부 예술 애호가들은 예술이 진실이나 현실을 보여 주기 위해 존재한다고 믿는다. 이런 사람들에게는, 그저 캔버스에 오렌지색 페인트만이 있는 현대 그림은 예술이 아니다. 그들에게 그림은 삶을 포착해야 한다. 또 다른 사람들은 예술이 아름다움과 해석에 대한 모든 것이라고 생각한다. 그들은 아무 색이나 칠해진 캔버스를 예술로 본다. 아름답다면 그것은 예술이다. 만약 당신에게 뭔가를, 어떤 것이든 느끼게 만들었다면 그것은 예술이다.
예술의 정의를 넓힌 한 예술가로 마르셀 뒤샹이 있다. 뒤샹은 1900년대 초에 자신이 흥미를 느끼는 다양한 종류의 잡다한 물건을 사들이기 시작했다. 그는 그 물건에 서명을 한 후에 자신의 미술 전시회에 전시했다. 그에게는 거의 무엇이든 예술로 여겨졌다. 뒤샹의 예술 작품 중 하나는 의자 위에 놓인 자전거 바퀴이다. '분수'라 불리는 또 다른 예술 작품이 아마도 가장 유명한 그의 작품일 것이다. '분수'는 마르셀이 자신의 이름을 서명한 변기이다. 샌프란시스코 현대 미술관에 가면 누구든지 '분수'를 볼 수 있다.

| 문제 해설 |

1 첫 문장에서 '예술이란 무엇인가?'라는 질문을 던지면서 '예술에 대한 다른 정의들'을 소개하고 있으므로 ③이 주제로 가장 적절하다.
① 예술 애호가들의 신념 ② 이상한 현대 미술의 형태 ④ 좋은 예술 작품을 고르는 법 ⑤ 그림 그리기의 교육 효과
2 capture는 '붙잡다, 포착하다'라는 뜻이므로 ② catch(붙들다, 잡다)가 의미상 가장 가깝다.
① 지배하다 ③ 숙달하다 ④ 발전시키다 ⑤ 강조하다
3 마르셀 뒤샹이 자신이 흥미를 느끼는 잡다한 물건들을 샀다는 내용은 있지만 귀중품을 수집하는 것이 취미였다는 언급은 없으므로 ④가 일치하지 않는 내용이다.
4 마르셀 뒤샹은 잡다한 물건들을 갖고 서명을 하여 다양한 예술 작품으로 만들었다. 따라서 그는 거의 '무엇이든' 예술로 여기는 사람임을 알 수 있으므로 빈칸은 ② anything(무엇이든)이 가장 적절하다.
① 아무것도 아닌 것 ③ 희귀한 물건 ④ 아름다운 물건 ⑤ 복잡한 물건

| 직독 직해 |

• 예술은 존재한다 / 보여 주기 위해 / 진실이나 현실을
• 그들은 본다 / 어느 캔버스나 / 아무 색이나 칠해진 / 예술로
• '분수'는 이다 / 변기 / 마르셀이 서명한 / 자신의 이름을

Review Test (25~28)

p. 78

1 ④	2 ③
3 broaden	4 simple
5 combine	6 ②
7 in → of	8 to fix → to be fixed

9 This shy animal has other interesting features.

10 Others think that art is all about beauty and interpretation.

| 문제 해설 |

1 miniature는 '작은'이라는 뜻이므로 ④ small(작은)이 의미상 가장 가깝다.
[우리 이모는 우리 엄마에게 작은 차 세트를 주었다.]
① 예쁜 ② 저렴한 ③ 오래 된 ⑤ 비싼

2 venom은 '독'이라는 뜻이므로 ③ poison(독)이 의미상 가장 가깝다.
[코브라는 매우 강한 독이 있다.]
① 시야 ② 냄새 ④ 근육 ⑤ 치아

[3~5]

| 보기 | 특징 넓히다 간단한 발견하다 결합하다

3 여행은 생각을 넓히는 데 도움이 된다.

4 나는 당신에게 간단한 질문이 있습니다.

5 당신은 두 개의 단어를 결합해서 새 단어를 만들 수 있다.

6 ②의 the는 정해진 특정 대상을 가리키는 반면, 나머지 보기는 모두 종족 대표를 나타내기 위해 명사 앞에 쓰인 the이다.
① 누가 처음 자동차를 발명했나요?
② 창문 좀 열어 주겠니?
③ 개는 인간의 가장 친한 친구이다.
④ 거미는 8개의 다리가 있다.
⑤ 사자는 고양이과에 속한다.

7 '~ 중에서 가장 …한'이라는 의미로 쓰일 때 [최상급+of[in]+명사] 구조를 사용할 수 있는데 of 뒤에는 복수 명사, in 뒤에는 장소나 단체 명사가 나온다. my friends가 복수 명사이므로 전치사를 of로 고쳐야 한다.
[토미는 내 친구들 중에서 발이 제일 크다.]

8 세탁기는 수리가 되는 대상이므로 to부정사는 수동태가 되어야 적절하다. 따라서 to be fixed로 고쳐야 한다.
[세탁기는 수리가 필요하다.]

Unit 08

29 | Unknown Civilization

p. 80

1 ③	2 ④	3 ①	4 ②

| 본문 해석 |

아틀란티스의 이야기는 많은 이들에게 계속해서 하나의 미스터리다. 그것은 기원전 360년경에 쓰여진 플라톤의 책에서 그에 의해 처음 언급되었다. 그는 그것이 그의 시대보다 9천 년 전에 존재했다고 주장했다. 하지만 플라톤의 책들이 그것에 관한 유일한 역사적 기록이다. 이 책들에서 아틀란티스의 창시자들은 반신반인이었다. 그들이 아테네에 필적할 강대한 나라와 막강한 권력을 만들어냈다.
플라톤에 따르면, 아틀란티스의 사람들이 권력에 굶주려 아테네와의 전쟁을 시작했다. 결국에, 아틀란티스가 이 전쟁에서 패했다. 후에 신들이 그들의 오만함에 화가 나게 되었고 그곳을 파괴하기 위해 지진을 내려 보냈다. 아틀란티스는 하루 만에 대서양 속으로 가라앉았다.
아틀란티스가 어디 있었는지에 관한 많은 견해들이 있다. 일부는 아틀란티스가 기원전 1600년경에 화산 분출이 있었던 현재의 산토리니 섬이라고 생각한다. 일부는 그것이 그리스에서 멀리 떨어진 대서양의 한 섬이었다고 생각한다. 다른 이들은 플라톤이 대충 이집트의 이야기들에 기반해, 그의 철학을 설명하기 위해 그것을 그저 만들어낸 것이라고 믿는다.

| 문제 해설 |

1 이 글은 아틀란티스의 미스터리에 관련해 다양한 이야기를 하고 있지만 ③ '아틀란티스의 종교적 신념'에 대한 내용은 언급하지 않았다.

2 claimed는 '주장했다'는 뜻이므로 ④ insisted(주장했다, 고집했다)가 의미상 가장 가깝다.
① 부정했다 ② 거절했다 ③ 추측했다 ⑤ 결론지었다

3 빈칸 뒤의 내용은 일부 사람들의 아틀란티스가 어디에 있었는지에 대한 견해를 나타내므로 빈칸은 ① where Atlantis was(아틀란티스가 어디에 있었는지)가 가장 적절하다.
② 아틀란티스는 어떻게 건설되었는지 ③ 누가 아틀란티스를 파괴했는지 ④ 왜 아틀란티스는 번영했는지 ⑤ 언제 아틀란티스는 사라졌는지

4 밑줄 친 it은 일부 사람들이 플라톤이 만들어냈다고 믿고 있는 아틀란티스(의 이야기)를 가리킨다. 따라서 ② Atlantis가 정답이다.
① 그리스 ③ 그의 철학 ④ 대서양 ⑤ 화산의 분출

| 직독 직해 |

- 아틀란티스의 이야기는 계속된다 / 하나의 미스터리로 / 많은 사람들에게
- 아틀란티스는 가라앉았다 / 대서양 속으로 / 하루 만에

• 다른 사람들은 믿는다 / 플라톤이 단지 / 그것을 지어냈다고 / 그의 철학을 설명하기 위해

30 | Blackbeard p. 82

1 ③ 2 ① 3 ③
4 배를 매복 공격하기 직전에

| 본문 해석 |

해적에 대한 이야기를 읽어본 적이 있는가? 해적은 배를 타고 바다에 나가 다른 배에서 물건을 훔치는 사람들이다.
지금껏 가장 무시무시한 해적 중 하나는 스스로를 '검은 수염'이라 칭했던 에드워드 티치라는 영국인이었다. '앤 여왕의 복수'라는 이름의 배에 탔던 그와 그의 선원들은 해상 상인들을 공포에 떨게 만들었고, 그들의 배를 습격해서 값진 물건을 닥치는 대로 훔쳤다. 그러고 나서 해적들은 전리품이나 훔친 물건을 자기들끼리 나누곤 했다.
검은 수염은 교활한 해적이었다. 우호적으로 보이기 위해 상인의 배를 보자마자 배의 깃발을 올리곤 했던 것이다. 그리고 배를 매복 공격하기 직전에 두개골 밑에 두 개의 뼈를 교차시킨 모양의 악명 높은 해적 깃발을 올렸다. 검은 수염은 삼각형 모자를 쓰고 허리띠에는 몇 개의 칼과 검을 차고 다녔다. 그는 대포 도화선을 자신의 기다란 머리카락에 짜 넣고 불을 붙여서 마치 자신에게 불이 붙은 것처럼 보이게 만들었다. 그는 기다란 검은 색 리본을 턱수염과 함께 땋았다. 그의 모습은 보기에 무시무시해서 대부분의 해상 상인들은 싸워보지도 않고 자신의 배를 포기했다.
검은 수염의 이야기는 인기 있는 디즈니 시리즈 '캐러비안의 해적'에 영감을 주었지만, 진짜 검은 수염은 영화에 등장하는 모험적인 탐험가 잭 스패로우 선장과는 전혀 닮지 않았다.

| 문제 해설 |

1 에드워드 티치라는 영국인 해적에 대한 이야기를 하고 있으므로 제목은 ③ '영국 역사에 등장하는 한 해적'이 가장 적절하다.
① 잭 스패로우 선장 ② 도적질이 나쁜 이유 ④ 배를 훔치는 방법 ⑤ 해적 영화의 배경

2 split up은 '나누다'라는 뜻이므로 ① divide(나누다, 분할하다)가 의미상 가장 가깝다.
② 구하다 ③ 저장하다 ④ 탈출하다 ⑤ 전달하다

3 검은 턱수염은 매우 교활한 해적이었다. 해적인 것을 숨기고 상인들의 배를 공격했기 때문이다. 따라서 '검은 턱수염은 매우 교활한 해적이었고, 많은 배가 그의 위장한 해적선에 의해 침략당했다.'라는 내용이 적절하므로 정답은 ③ sly(교활한), invaded(침략당한)이다.
① 유명한, 환영받은 ② 악명 높은, 건설된 ④ 강력한, 도움을 받은 ⑤ 인기 있는, 내보내진

4 검은 수염은 배를 매복 공격하기 직전에 해적 깃발을 올렸다.

| 직독 직해 |

• 여러분은 지금까지 읽은 적이 있는가 / 이야기를 / 해적에 대한
• 그는 땋았다 / 긴 검은 색 리본을 / 그의 턱수염에
• 대부분의 상인 선원들은 포기했다 / 그들의 배를 / 다툼 없이

31 | Live Longer p. 84

1 ③ 2 ② 3 ③ 4 ②

| 본문 해석 |

오래 건강한 삶을 사는 방법을 알고 싶다면, 오키나와 주민과 이야기하고 싶을 것이다. 일본의 섬인 오키나와는 장수하는 곳으로 평판이 자자하다. 이곳은 100세가 넘는 사람들의 비율이 세계에서 가장 높다. 일본에서는 전반적으로 1만 명 중 약 14명이 100세까지 산다. 오키나와에서는 1만 명 중 39명이 이 나이까지 산다.
과학자들은 오키나와 사람들의 장수 원인에 매우 관심이 많다. 그들은 음식, 유전, 깨끗한 환경 이 모두가 장수와 건강한 삶의 요인이라고 결론지었다. 대부분의 사람들이 자신이 속한 환경과 유전적인 특질을 바꿀 수 없기 때문에 과학자들은 음식에 집중하고 있다.
첫째, 음식의 칼로리가 매우 낮다. 둘째, 오키나와 사람들은 녹황색 채소를 많이 먹는다. 그곳에서 그들이 흔히 먹는 채소 중 하나는 고구마이다. 셋째, 그들은 고기, 계란, 유제품을 거의 먹지 않는다. 이런 식단의 중요성을 입증하기 위해 과학자들은 쥐를 대상으로 실험을 실시했다. 그들은 쥐들에게 오키나와식 식단과 비슷한 식단(음식)을 먹였다. 그 쥐들은 일반적인 음식을 먹은 쥐들보다 두 배가량 오래 살았다.

| 문제 해설 |

1 오키나와 사람들의 장수 원인에 대해 주로 이야기하고 있으므로 ③이 글의 주제로 가장 적절하다.

2 과학자들이 오키나와 사람들의 장수 원인 중에 음식에 집중할 수밖에 없는 이유는 환경이나 유전은 대부분의 사람들이 바꿀 수 없는 것이기 때문이다. 따라서 빈칸은 ② cannot change (바꿀 수 없다)가 가장 적절하다.
① 향상시켜야 한다 ③ 존중해야 한다 ④ 인식할 필요가 있다 ⑤ 따를 필요가 없다

3 오키나와 사람들은 고기, 계란, 유제품을 거의 먹지 않는다고 했으므로 ③이 일치하지 않는 내용이다.

4 쥐에게 오키나와식 식단을 먹인 사람들은 '과학자'이다. 따라서 정답은 ②이다.
① 쥐 ③ 채소 ④ 실험 ⑤ 오키나와 사람

| 직독 직해 |

- 오키나와는 가진다 / 명성을 / 장수에 대한
- 흔한 채소 하나는 / 그들이 그곳에서 먹는 / 고구마이다
- 그들은 먹였다 / 쥐들에게 / 식단으로 / 오키나와 식단과 비슷한

32 | Special Printers p. 86

1 ③	2 ③	3 ⑤	4 ④

| 본문 해석 |

프린터를 사용해 본 적이 있는가? 일반적인 프린터는 종이에 사진이나 글을 인쇄하기 위해 잉크를 사용한다. 예전에는 프린터가 매우 귀하고 비싼 기계여서 오직 큰 회사에서만 사용했다. 그러나 최근에는 프린터가 매우 흔하다. 오늘날 컴퓨터를 가지고 있는 대부분의 사람들이 프린터를 가지고 있다. 그러나 입체적인 물체를 만드는 프린터가 있다는 것을 아는가?
미국의 한 회사는 플라스틱을 이용하여 여러분이 원하는 어떤 형태로든 물체를 출력하는 프린터를 만들었다. 이러한 3차원 프린터를 이용하여, 사람은 컵, 접시, 장난감 비행기나 그들이 디자인하고 싶은 모든 것을 만들 수 있다. 사람이 컴퓨터에 디자인을 한 다음 컴퓨터가 디자인을 출력하도록 지시만 내리면 된다. 3차원 프린터는 인간의 삶을 진정으로 변화시킬 수 있다. 사람이 3차원 프린터를 가지고 있다면 그들은 상점에 가서 구입할 필요 없이 간단한 물건을 얻을 수 있다.
현재 3차원 프린터는 비싸다. 이 프린터들은 대부분 직장에서 매일 디자인을 하는 사람들에 의해 사용된다. 그러나 많은 사람들은 이러한 기술이 곧 가정에서 보편적으로 사용될 것이라고 생각한다.

| 문제 해설 |

1 이 글은 3차원 프린터의 여러 특징을 설명하고 있는데 이 프린터를 생산하는 과정에 대한 언급은 없다. 따라서 ③이 정답이다.

2 3차원 프린터는 플라스틱을 사용하여 물체를 출력한다고 했으므로 ③ plastic이 정답이다.
① 종이 ② 천 ④ 유리 ⑤ 돌

3 사람이 3차원 프린터를 가지고 있다면 상점에 가서 물건을 구입할 필요 없이 간단한 물건을 얻을 수 있을 것이다. 따라서 빈칸은 ⑤ without(~이 없이)이 가장 적절하다.
① ~에 의해 ② ~의 위에 ③ ~을 통해 ④ ~사이에

4 마지막 문단에서 많은 사람들이 3차원 프린터의 기술이 곧 가정에서 보편적으로 사용될 것이라고 생각한다고 했으므로 ④가 가장 적절하다.

| 직독 직해 |

- 여러분은 지금까지 사용해 본 적이 있는가 / 프린터를 / 전에
- 대부분의 사람들은 / 컴퓨터를 가진 / 프린터도 갖고 있다
- 사람은 단지 하기만 하면 된다 / 디자인하는 것을 / 컴퓨터로

Review Test (29~32) p. 88

1 ③
2 ②
3 terrifying
4 diet
5 Dairy
6 ⑤
7 made up it → made it up
8 would → used to
9 Atlantis was first mentioned by Plato in his books written around 360 BC.
10 The rats lived twice as long as the rats that ate a regular diet.

| 문제 해설 |

1 mighty는 '강력한, 힘이 센'이라는 뜻이므로 ③ weak(약한)가 반대말이 된다.
[그 국가는 강력한 군대가 있었고 대륙 전체를 정복했다.]
① 잘 훈련된 ② 큰 ④ 강한 ⑤ 작은

2 arrogant는 '오만한'이라는 뜻이므로 ② modest(겸손한)가 반대말이 된다.
[그녀는 너무 오만해서 아무도 그녀를 좋아하지 않는다.]
① 수줍은 ③ 느긋한 ④ 똑똑한 ⑤ 열린 마음의

[3~5]

| 보기 | 식사 유제품의 무서운 주로 악명 높은

3 내가 지난밤 꾼 악몽은 매우 무서웠다.

4 우리 조부모님은 늘 균형 잡힌 식사를 하려고 노력하신다.

5 유제품은 풍부한 단백질과 미네랄을 제공해 준다.

6 밑줄 친 to부정사는 모두 부사적 용법인데 ⑤는 결과를 나타내는 반면 나머지는 모두 목적을 나타낸다.
① 그는 시간을 때우려고 영화 한 편을 보았다.
② 그 소년은 공부하러 도서관에 갔다.
③ 그녀는 전화를 하려고 수화기를 들었다.
④ 나는 친구와 저녁을 먹기 위해서 외출했다.
⑤ 에밀리는 자라서 음악가가 되었다.

7 [동사+부사]형식의 구동사는 대명사가 목적어로 올 때 부사 앞에 놓인다.
[나는 그의 이야기를 믿지 않는다. 그는 그것을 지어냈다!]

8 would는 현재는 더 이상 하지 않는 과거의 습관적 행동에 쓰인다. would는 동작 동사에만 쓰이며, 과거의 존재나 상태를 나타낼 때에는 used to를 쓴다.
[길 건너편에 제과점이 있었다.]

Unit 09

33 | Take a Shot p. 90

1 ④ 2 ② 3 ② 4 ③

| 본문 해석 |

농구의 몇 가지 기본 규칙들은 초보자들에 의해 무시된다. 예를 들어, 키 지역 안에 있는 선수에게는 3초 제한이 있다. 키 지역은 바스켓 아래 색깔이 있는 직사각형이다. 선수는 3초 이내에 슛을 하거나 공을 패스해야만 한다. 그렇지 않으면, 수비 팀이 공을 차지하게 된다.

또한, 공격 팀은 10초 이내에 코트 중앙선 너머로 공을 움직여야 한다. 일단 공이 이 선을 넘어가면, 다시 되돌아갈 수 없다. 만약 그랬다면, 수비 팀이 공을 갖는다.

3점 원호 뒤에서의 슛은 3점이다. 그 안에서의 슛은 2점이다. 만약 선수의 발이 원호의 선 위에 있었다면, 그것은 원호 밖에서 이루어진 것과 동일하게 점수를 매긴다.

자유투는 수비 팀의 반칙으로 주어진다. 키 지역 앞에서 던지고 각각 1점이다. 마지막 자유투에서는, 공이 바스켓을 벗어나면 어느 팀이든 공을 잡을 수 있다. 반칙이 원호 밖에서 있었다면 3개의 자유투가 주어진다. 반칙이 원호 안에서 있었다면 2개나 1개의 자유투가 주어진다.

| 문제 해설 |

1 이 글은 농구의 기본적인 규칙들을 설명하고 있으므로 '농구를 하는 데 있어 몇 가지 규칙'을 뜻하는 ④가 주제로 가장 적절하다.
① 농구 코트에서의 유용한 기술들 ② 농구에서 이기기 위한 숨겨진 비결들 ③ 농구 초보자들의 일반적인 파울들 ⑤ 농구가 사람들 사이에서 인기 있는 이유

2 빈칸 이후의 내용은 키 지역에 있는 선수가 3초 이내에 슛을 하거나 공을 패스하지 않으면 수비 팀에게 공을 빼앗긴다고 했으므로, 빈칸은 3초 '제한'을 뜻하는 ② limit가 들어가야 한다.
① 멈춤 ③ 공간 ④ 탈출 ⑤ 허용

3 자유투는 키 지역 앞에서 던지고 각각 1점이라고 했으므로 ②가 일치하지 않는 내용이다.

4 awarded는 '주어진'이라는 뜻이므로 ③ given(주어진)이 의미상 가장 가깝다.
① 던져진 ② 득점된 ④ 패스된 ⑤ 튕겨진

| 직독 직해 |

- 몇몇 기본 규칙들은 / 농구에서 / 무시된다 / 초보자들에 의해
- 일단 공이 이 선을 넘는다면 / 그것은 갈 수 없다 / 뒤로 다시
- 3개의 자유투는 / 주어진다 / 만약 반칙이 있었다면 / 원호 밖에서

34 | The Austronesians p. 92

1 ④ 2 ① 3 ③ 4 ④

| 본문 해석 |

하와이에 가서 물 한 잔을 마시고 싶으면 'wai'를 달라고 해라. 그것은 물을 뜻하는 하와이 어이다. 피지에 가서도 여전히 'wai'라는 단어를 쓸 수 있다. 서로 다른 나라에서 쓰는 단어가 그토록 비슷한 이유는 무엇일까? 오스트로네시아 족으로 불리는 위대한 고대 탐험가들 때문이다.

사람들은 아프리카, 아시아, 미국에서 오스트로네시아 언어를 말한다. 이 고대인들이 바다를 여행하면서 자신들이 사용하는 언어를 함께 들여왔기 때문이다. 오스트로네시아 족은 5천 년 이상 전에 태평양을 가로질러 여행하기 시작했다.

이 고대인들이 어떻게 해서 세계의 그토록 많은 지역에 식민지를 건설했는지는 불가사의하다. 일부 오스트로네시아 섬들은 다른 섬과 수 천 마일 떨어져 있다. 이토록 먼 거리를 자그마한 카누만으로 여행하는 것은 오늘날의 많은 사람들에게는 불가능한 일처럼 보인다.

몇몇 사람들은, 오스트로네시아 족이 화산에서 분출되는 연기를 찾아 멀리 있는 섬을 발견했다고 생각한다. 그들이 거의 2천 년 전에 하와이를 발견할 때도 이런 방식을 사용했을지도 모른다. 제임스 쿡이라는 이름의 영국인 탐험가가 1778년에 우연히 하와이를 발견했을 때 그토록 먼 곳에 사는 사람들을 발견하고 당황했다. 그는 하와이 사람들이 먼 지역에서 온 자신의 친구들이 이해할 수 있는 언어로 말했을 때는 훨씬 더 놀랐다!

| 문제 해설 |

1 오스트로네시아 족으로 불리는 고대 탐험가들에 대한 이야기이므로 제목은 ④ '오래 전에 세계를 여행했던 사람들'이 가장 적절하다.
① 하와이 언어의 기원 ② 오스트로네시아 족이 만든 카누 ③ 다른 언어를 말하는 현대의 탐험가들 ⑤ 태평양의 아름다운 섬들

2 하와이와 피지라는 다른 나라에서 'wai'라는 단어를 같은 의미로 사용할 수 있으므로 빈칸은 ① similar(비슷한)가 가장 적절하다.
② 독특한 ③ 어색한 ④ 우호적인 ⑤ 이상한

3 오스트로네시아 족은 세계의 많은 지역에 식민지를 건설했다고 했으므로 ③이 일치하는 내용이다.

4 사람들은 오스트로네시아 족이 화산에서 분출되는 연기를 찾아 멀리 있는 섬을 발견했다고 추측하고 있다. 따라서 '그들이 거의 2천 년 전에 하와이를 발견할 때도 이런 방식을 사용했을지도 모른다.'라는 문장이 그 다음으로 오는 것이 적절하다. 따라서 정답은 ④ (D)이다.

| 직독 직해 |

- 만약 여러분이 간다면 / 피지에 / 여러분은 여전히 사용할 수 있다 / '와이'라는 단어를
- 어떻게 / 이 고대인들이 식민지화했는지 / 세계의 그렇게 많은 지역을 / 불가사의하다
- 그는 당황했다 / 사람들을 발견하여 / 그토록 먼 곳에 있는

35 | The Louvre p. 94

1 ③ 2 ① 3 ④
4 침입 가능성에 대비하기 위한 요새로 지어졌다.

| 본문 해석 |

1793년에 세워진 루브르 박물관에는 거의 40만 점에 이르는 예술 작품과 전시품이 소장되어 있다. 이들 작품에는 레오나르도 다 빈치의 걸작인 '모나리자'부터 무명의 이집트 예술가들의 6천 년된 작품까지 다양하다. 예술작품을 소장하고 있는 건물 또한 자체의 특유한 역사와 아름다움을 지니고 있다.
프랑스 국왕인 필립 2세가 12세기에 세운 루브르는 원래는 침입 가능성에 대비하기 위한 요새로 지어졌다. 16세기에 이르러 루브르는 옛 건물과 새 건물, 건축 중인 건물이 뒤섞였다. 루이 13세와 루이 14세의 지휘 아래 추진된 야심 찬 계획 덕택에 루브르는 17세기 말에 이르러 오늘날의 루브르의 모습을 많이 갖추었다. 1672년에 루이 14세는 베르사유 궁전으로 거처를 옮기면서 루브르를 왕궁의 예술 소장품을 전시하는 장소로 삼았다. 루브르는 프랑스 혁명이 끝나고 일 년 후에 국립 박물관으로 대중에게 개방되었다.
박물관 건물은 300년 이상 대체로 바뀌지 않은 상태로 남아 있다. 그 다음으로 루브르에 가해진 주요 증축물은 300년 이상이 지난 후에 지어졌다. I. M. 페이가 거대한 유리 피라미드를 포함한 부속 건물을 설계한 것이다. 당시에 논쟁에 휩싸였던 이 부속 건물은 개방하고 몇 년이 지난 후에 인기를 증명했고 관람객 수는 두 배로 증가했다.

| 문제 해설 |

1 루이 14세가 루브르를 왕궁의 예술 소장품을 전시하는 장소로 삼았다는 내용은 있지만 ③의 내용은 언급이 없다.
2 17세기 말에 이르러 오늘날의 모습을 많이 갖춘 것은 '루브르'이므로 it이 가리키는 것은 ① the Louvre이다.
② 루이 13세 ③ 루이 14세 ④ 17세기 말 ⑤ 베르사유 궁전
3 루브르 박물관의 주요 증축물로 I.M. 페이가 거대한 유리 피라미드를 포함한 부속 건물을 설계했다고 했으므로 ④ a glass pyramid(유리 피라미드)가 정답이다.
① 도서관 ② 선물 가게 ③ 미술관 ⑤ 체육관
4 루브르는 원래 프랑스 국왕 필립 2세에 의해 침입 가능성에 대비하기 위한 요새로 지어졌다.

| 직독 직해 |

- 그 건물은 가지고 있다 / 그것만의 특별한 역사를 / 그리고 아름다움을 / 또한
- 루브르는 개방됐다 / 대중에게 / 국립 박물관으로서
- 그 건물은 남아 있다 / 대체로 변하지 않고 / 300년 이상 동안

36 | Is Anybody Out There? p. 96

1 ③ 2 ④ 3 ③ 4 ⑤

| 본문 해석 |

우리는 수십 억 개의 별이 있는 것을 안다. 그리고 아마 수백만 개 혹은 수십 억 개의 다른 행성이 있는 것도 안다. 오랫동안 사람들은 우주에 다른 생명체가 있는지 찾으려고 노력해 왔다.
우주를 탐험하는 한 가지 방법은 사진을 찍기 위해 무인 우주 탐사선이라 불리는 작은 우주선을 다른 행성으로 보내는 것이다. 우리는 여러 대의 무인 우주 탐사선을 화성에 보냈다. 많은 사람들이 화성에 일종의 생명체가 있을 거라고 생각했지만 이제 사진을 통해서 그곳에 식물도 동물도 살고 있지 않다는 것을 알 수 있다. 그러나 사진을 통해 화성에 물이 있다는 것을 발견했다.
비록 우리가 많은 무인 우주 탐사선을 우주에 보냈지만 그것들은 아주 멀리 가지 못했다. 가장 빠른 무인 우주 탐사선도 시속 약 3만 마일의 속도로밖에 가지 못해 이들은 우리의 태양계를 벗어나 이동할 수 없다.
우주에서 생명체를 발견하는 보다 좋은 방법은 무선 신호를 사용하는 것일지도 모르겠다. 이들은 빛의 속도로 이동하기 때문에 태양계 밖의 생명체를 찾을 수 있을지도 모른다. SETI라고 불리는 모임은 생명체의 신호를 듣기 위해 매일 우주를 경청하고 있다. 그들은 언젠가 "우리 여기 있어요!"라는 메시지를 듣기를 희망하고 있다.

| 문제 해설 |

1 사람들이 우주에 또 다른 생명체가 있는지 찾으려고 노력하는 내용이 주를 이루기 때문에 ③이 이 글의 요지로 가장 적절하다.
2 무인 우주 탐사선을 다른 행성으로 보내는 이유는 생명체를 찾기 위한 것이라고 했으므로 우주를 탐험(탐사)하기 위한 것으로 볼 수 있다. 따라서 빈칸은 ④ exploring(탐험하기)이 가장 적절하다.
① 변화시키기 ② 탈출하기 ③ 방해하기 ⑤ 조정하기
3 무인 우주 탐사선은 시속 3만 마일의 속도로밖에 가지 못해서 우리의 태양계를 벗어나지 못한다. 반면에 무선 신호는 빛의 속도로 이동하기 때문에 태양계 밖의 생명체를 찾을 수 있다. 이러한 내용으로 볼 때 빛의 속도는 시속 3만 마일보다 빠른 것을 알 수 있으므로 정답은 ③이다.

4 looking for는 '찾는 것'이라는 뜻이므로 ⑤ searching(찾기, 검색하기)이 의미상 가장 가깝다.
① 잠그기 ② 매달기 ③ 발명하기 ④ 도달하기

| 직독 직해 |

- 우리는 보냈다 / 몇몇 무인 우주 탐사선을 / 화성에
- 사진으로부터 / 우리는 발견했다 / 물이 있다는 것을 / 화성에
- 아마 가능할 것이다 / 생명체를 발견하는 것이 / 존재하는 / 우리의 태양계 밖에

Review Test (33~36) p. 98

1 ④ 2 ⑤
3 ambitious 4 planet
5 remote 6 ⑤
7 are → is 8 is → are
9 Some Austronesian islands are thousands of miles away from any other island.
10 One way of exploring the universe is to send small spaceships to other planets.

| 문제 해설 |

1 grab은 '잡다'라는 뜻이므로 ④ held(쥐었다, 잡았다)가 의미상 가장 가깝다.
[나는 방망이를 집어서 휘두르기 연습을 했다.]
① 깼다 ② 놓았다 ③ 때렸다 ⑤ 던졌다

2 house는 '소장하다, 보관하다'라는 뜻이므로 ⑤ has(가지다, 소유하다)가 의미상 가장 가깝다.
[그 박물관은 500점 이상의 그림을 소장하고 있다.]
① 팔다 ② 보여 주다 ③ 수집하다 ④ 보호하다

[3~5]

| 보기 | 행성 혼합물 멀리 떨어진 무시하다 야심 있는

3 그 야심 있는 지도자는 결국 그 나라의 대통령이 되었다.

4 당신은 인류가 미래에는 다른 행성에서 살 것이라고 생각합니까?

5 그 병원은 도시에서 멀리 떨어져 있다.

6 ⑤의 did는 앞에 언급된 동사를 대신해서 쓰인 대동사이다. 나머지는 의문문이나 부정문을 만들어 주는 조동사이다.
① 케빈은 브로콜리를 좋아하지 않는다.
② 그가 나타나지 않을 것이라는 사실을 알았니?
③ 나는 무슨 말을 해야 할지 모르겠다.
④ 그녀는 직업이 있니?
⑤ 나는 피자를 먹지 않았다. 제리가 먹었다.

7 주어로 쓰인 동명사나 to부정사는 단수 취급하므로 단수 동사 is가 적절하다.
[보드 게임을 하는 것은 재미있다.]

8 문장의 주어는 The children이므로 복수 동사 are를 써야 한다.
[교실 안의 어린이들은 매우 조용하다.]

Unit 10

37 | The Smallest Things p. 100

1 ③ 2 ⑤ 3 ④
4 식물 세포 : 햇빛을 흡수해서 에너지로 변환
동물 세포 : 동물이 먹는 먹이로부터 에너지를 흡수

| 본문 해석 |

세포는 모든 생명체의 가장 작은 부분이다. 모든 생물들은 세포를 갖고 있다. 그것들은 현미경으로만 보인다. 그것들은 300년도 더 이전에 현미경이 발명된 후 처음으로 발견되었다. 세포들은 그 안에 여러 부분으로 되어 있고, 각각에 자체 외피가 있다. 한 예가 세포핵이다. 핵은 세포들이 새로운 세포들로 분열되는 것을 돕는다. 주된 두 가지 유형의 세포에는 식물 세포와 동물 세포가 있다.
식물 세포는 직사각형이고 모양이 변하지 않는다. 그것들은 가로로 10마이크로미터에서 100마이크로미터까지 될 수 있다. 그것들은 햇빛을 흡수해 그것을 에너지로 변환시킨다. 그것들은 부드러운 외피가 아닌, 추가적인 안정성과 보호를 위해 단단한 세포벽을 갖고 있다. 식물 세포들은 뿌리 세포, 잎 세포, 꽃 세포, 그리고 그 외 다른 것이 될 수 있다.
동물 세포는 둥글며 모양이 변할 수 있다. 그것들은 가로로 10마이크로미터에서 30마이크로미터까지 될 수 있다. 그것들을 햇빛을 흡수하지 않는다. 그것들은 동물이 먹는 먹이로부터 에너지를 얻는다. 다양한 유형의 동물 세포에는 피부 세포, 근육 세포, 혈액 세포 등이 포함된다.

| 문제 해설 |

1 식물 세포는 직사각형이고 모양이 변하지 않는다고 했으므로 ③이 일치하지 않는 내용이다.
2 세포핵은 세포들이 새로운 세포들로 분열되는 것을 돕는다고 했으므로 ⑤가 정답이다.
3 빈칸 (A)는 '추가적인 안정성과 보호를 위한'이라는 말을 통해 세포벽이 '단단한'이라는 단어가 적절하고, 빈칸 (B)는 not이라는 말을 통해 (A)와 대조되는 표현이 들어가야 하므로 '부드러운'이라는 단어가 적절하다. 따라서 ④ hard(단단한), soft(부드러운)가 정답이다.
① 곧은, 둥근 ② 고체의, 액체의 ③ 긴, 짧은 ⑤ 거친, 매끄러운
4 식물 세포는 햇빛을 흡수해 그것을 에너지로 변환시키고, 동물 세포는 햇빛을 흡수하지 않으며 동물이 먹는 먹이로부터 에너지를 얻는다.

| 직독 직해 |

- 핵은 돕는다 / 세포들이 나뉘도록 / 새로운 세포들로
- 그것들은 흡수한다 / 햇빛을 / 그리고 그것을 전환한다 / 에너지로
- 그것들은 얻는다 / 그들의 에너지를 / 음식으로부터 / 동물들이 먹는

38 | Music is My Life p. 102

1 ② 2 ① 3 ③ 4 ④

| 본문 해석 |

음악 감상은 당신의 기분에 영향을 미친다. 심리학적 연구는 음악이 기분에 영향을 미친다는 것을 여러 방식으로 보여 준다. 무엇보다도 음악은 기분 전환을 제공한다. 음악을 들으면 친구를 만나러 가기도 전에 행복하다. 음악을 들으면 자질구레한 일을 하거나 버스를 타고 있을 때도 덜 지루하다. 또한 음악은 아침에 기운을 북돋고 밤에는 마음을 진정시켜 준다. 더욱이 음악은 불행한 생각으로부터 마음을 딴 데로 돌릴 수 있다. 시험을 잘 보지 못해 기분이 울적할 때는 음악을 들으면서 행복한 생각을 하라. 게다가 음악은 공상에 잠기거나, 즐거웠던 휴가나 특별한 휴일과 같은 옛날 추억을 떠올리는 데 도움이 된다. 마지막으로 음악은 슬플 때 위로, 즉 안락한 느낌을 줄 수 있다. 슬픔에 잠겨 있을 때 이따금씩 사랑 노래를 들으면 외로움을 덜 느낀다. 음악은 당신의 감정을 공유한다.
음악은 항상 기분을 좋게 만들까? 내 경우에는 항상 그런 것은 아니다. 요란한 헤비메탈 음악은 내 귀에 소음처럼 들린다. 헤비메탈 음악을 들으면 신경이 곤두서거나 긴장된다. 나는 부모님의 노래를 들으면 불안해진다. 그 노래가 너무 지루해서 마음 편안하게 들을 수가 없다. 끝으로, 요즘 음악의 일부 가사는 지나치게 폭력적이고 선정적이어서 들을 때 혐오감이나 당혹감을 느낀다.

| 문제 해설 |

1 이 글은 음악 감상이 기분에 어떤 영향을 미치는지에 대해 다양한 예시를 통해 이야기하고 있다. 따라서 ②가 주제로 가장 적절하다.
2 provide는 '제공하다'라는 뜻이므로 ① offers(제공하다)가 의미상 가장 가깝다.
② 퍼뜨리다 ③ 방해하다 ④ 자극하다 ⑤ 격려하다
3 음악은 공상에 잠기거나 옛날 추억을 떠올리는 데 도움이 된다고 했으므로 ③은 주장과 반대의 내용이다.
4 빈칸 다음 문장에서 헤비메탈 음악을 들으면 신경이 곤두서거나 긴장된다고 말하고 있으므로 글쓴이에게는 헤비메탈 음악이 소음처럼 들림을 알 수 있다. 따라서 빈칸은 ④ noise(소음)가 가장 적절하다.
① 비난 ② 자장가 ③ 칭찬 ⑤ 기쁨

| 직독 직해 |

- 음악은 만든다 / 당신이 행복을 느끼도록 / 당신이 가기 전에 / 친구를 만나러
- 더욱이 / 음악은 주의를 돌리게 할 수 있다 / 당신을 / 불행한 생각으로부터
- 때때로 / 사랑 노래를 듣는 것은 만든다 / 당신이 / 덜 외로움을 느끼도록

39 | Giant Trees p. 104

1 ③ 2 ④ 3 ⑤
4 대개 나이테 한 줄은 1년을 뜻한다.

| 본문 해석 |

미국 삼나무는 지구에서 가장 큰 나무이다. 기록된 것 중에 가장 큰 나무는 높이가 115미터였다. 어떤 유명한 미국 삼나무는 너무나 커서 지상에 있는 몸통에 구멍을 뚫었다. 이 구멍은 자동차가 통과할 수 있을 만큼 충분히 크다!
캘리포니아 북부는 지구상에서 거대한 미국 삼나무를 볼 수 있는 유일한 곳이다. 미국 삼나무의 껍질은 아름다운 적갈색이다. 하지만, 이 지역에 자주 발생하는 화재 때문에 많은 나무에는 불에 탄 흔적과 숯처럼 검게 변한 상처가 남아 있다.
가장 오래된 나무는 3500년 이상이 넘었다. 나무의 나이는 나이테로 측정된다. 모든 나무에는 나이테가 있고, 대개 나이테 한 줄은 1년을 뜻한다. 이는 가장 오래된 미국 삼나무에는 3500개 이상의 나이테가 있다는 뜻이다.
미국 삼나무는 뿌리 조직이 크다. 그것은 270미터까지 뻗는다. 세월이 흐르면서 한 나무의 뿌리가 다른 나무의 뿌리에 달라붙게 된다. 이런 뿌리 구조 때문에 나무는 쓰러지기가 어렵다. 각각의 나무는 이웃 나무의 힘에 의지한다. 미국 삼나무는 정말 놀라운 나무이다!

| 문제 해설 |

1 가장 오래된 미국 삼나무에 대한 내용은 있지만 ③ '미국 삼나무의 평균 수명'은 언급하지 않았다.
2 캘리포니아 북부에서는 화재가 자주 발생해서 나무에 그을린 자국이 많다고 하였으므로 ④가 정답이다.
3 서로에게 의지가 되는 뿌리 구조 때문에 미국 삼나무는 쓰러지지 않는다는 것을 알 수 있다. 따라서 빈칸은 ⑤ fall down (넘어지다)이 가장 적절하다.
① 타다 ② 자라다 ③ 오르다 ④ 서다
4 밑줄 친 That은 앞 문장의 '대게 나이테 한 줄은 1년을 뜻한다.'는 내용을 가리키고 있다.

| 직독 직해 |

- 이 구멍은 이다 / 충분히 큰 / 자동차가 / 통과할 수 있을 만큼
- 나무의 나이는 / 측정된다 / 나이테로
- 각각의 나무는 의지한다 / 힘에 / 그것의 이웃의

40 | Extreme Stunts p. 106

1 ② 2 ③ 3 ③
4 그의 마술 묘기가 너무나 놀라웠기 때문에

| 본문 해석 |

음식을 먹지 않고 얼마나 오랫동안 버틸 수 있으리라 생각하는가? 하루? 사흘? 일주일? 44일은 어떤가? 이것이 바로, 미국인 마술사 데이비드 블레인이 2003년 9월 5일부터 10월 19일까지 기이한 묘기의 하나로서 실행에 옮겼던 일이었다. 이 기간 동안 블레인은 정육면체의 유리에 들어간 상태로 런던 템스 강 위에 매달려 있었다. 그는 매일 4.5리터의 물을 제외하고는 아무 것도 먹지 않았다.
이와 같은 극단적인 묘기는 블레인에게 새로운 것이 아니었다. 그는 거리 공연 마술사로 일을 시작했다. 그의 마술 묘기는 너무나 놀라워서 '데이비드 블레인의 거리 마술'이라는 자신만의 TV 쇼를 진행할 정도였다. 곧 블레인은 통상적인 마술 묘기에 싫증을 내고 자신의 인내를 시험해 보고 싶어 했다. 그는 살아서 매장된 상태로 얼마나 오랫동안 살 수 있는지 알아보기로 결심했다. 그래서 1999년 4월 5일에 3.5미터 물 밑에 놓인 투명한 관에 묻혔다. 그는 음식과 물 없이 그곳에서 7일 이상을 머물렀다.
블레인은 (최장 시간 동안) 숨을 참은 것으로 세계 신기록을 세우기도 했다. 보통 사람은 숨을 쉬지 않고 1~2분 정도 버틸 수 있다. 블레인은 놀랍게도 17분 4초 동안 숨을 참을 수 있었다!

| 문제 해설 |

1 마술사 데이비드 블레인의 여러 가지 놀라운 묘기에 대해 이야기하고 있으므로 제목은 '놀라운 묘기들을 하는 마술사'를 뜻하는 ②가 가장 적절하다.
① 음식을 전혀 먹지 않는 사람 ③ 항상 관 속에서 잠자는 사람
④ 강한 정신력을 가진 스턴트맨 ⑤ 많은 세계 기록을 가진 사람
2 suspended는 '매달린'이라는 뜻이므로 ③ hung(매달린)이 의미상 가장 가깝다.
① 금지된 ② 멈춘 ④ 풀려난 ⑤ 덧붙여진
3 보통 사람은 숨을 쉬지 않고 1~2분 정도 버틸 수 있다고 했으므로 그 이상의 시간인 3분은 버티기 힘들 것이다. 따라서 ③이 유추할 수 있는 내용이다.
4 데이비드 블레인은 마술 묘기가 너무나 놀라웠기 때문에 자신만의 TV쇼를 진행할 수 있었다.

| 직독 직해 |

- 얼마나 오랫동안으로 / 여러분은 생각하는가 / 여러분이 버틸 수 있을 거라고 / 음식을 먹지 않고
- 극단적인 묘기는 / 이와 같은 / 아니었다 / 새로운 것이 / 블레인에게는
- 블레인은 또한 세웠다 / 세계 기록을 / 숨을 참는 것에 대한

Review Test (37~40)

p. 108

1 ④ 2 ②
3 microscope 4 absorb 5 scar
6 ④
7 The way how → The way 또는 How
8 Do you think who → Who do you think
9 This root structure makes it difficult for the trees to fall down.
10 He started his career as a street performing magician.

| 문제 해설 |

1 violent는 '폭력적인'이라는 뜻이므로 ④ peaceful(평화적인)이 반대말이 된다.
[그 시위는 갑자기 폭력적으로 변했다.]
① 빈번한 ② 시끄러운 ③ 금지된 ⑤ 들썩이는

2 poorly는 '형편없이'라는 뜻이므로 ② well(훌륭하게)이 반대말이 된다.
[네 에세이는 형편없이 쓰여졌다.]
① 진실로 ③ 극단적으로 ④ 정확히 ⑤ 마지막으로

[3~5]

| 보기 | 흡수하다 현미경 공상하다 붙이다 상처

3 현미경은 작은 세포를 보는 데 필요하다.
4 이 청소용 천은 물을 매우 잘 흡수할 것이다.
5 당신은 당신 얼굴에 있는 상처와 영원히 함께할 필요가 없다.
6 ④에서 make는 수여동사(~에게 …을 만들어 주다)로 쓰였고 a model airplane은 직접 목적어이다. 나머지 make는 5형식 동사이며 밑줄 친 부분은 모두 목적보어이다.
① 그녀의 어린 아들은 그녀를 늘 기쁘게 한다.
② 그 소설은 나로 하여금 내 삶을 돌아보게 했다.
③ 우리 아버지는 나를 파일럿으로 만들었다.
④ 그는 나에게 모형 비행기를 만들어 주었다.
⑤ 나는 그에게 편지 한 통을 쓰게 했다.
7 관계부사 how는 선행사 the way와 함께 쓸 수 없다. 관계부사나 선행사 둘 중 하나는 생략되어야 한다.
[당신이 체스를 하는 것을 보면 당신의 성격을 알 수 있다.]
8 think가 의문사가 있는 간접의문문을 목적어로 취할 경우 의문사는 문장 앞에 위치한다.
[누가 이길 것 같나요?]

Workbook answers

Unit 01

01 To Hold or Not

A

1	방법	7	fall out
2	~에 달려 있다	8	solve
3	기구	9	besides
4	쏟다	10	ingredient
5	의도	11	custom
6	실제적인, 현실적인	12	important

B

1 Money will not solve your problems.
2 It doesn't make sense to carry two bags.
3 We have a meeting twice a month.

C

| 보기 | 손들 | 식사 | 크기 | 지저분한 |

Hamburgers were originally designed to be eaten with the hands. But eating them with knife and fork can be less messy. Sometimes the eating method depends on the size of the burger.

02 Talkative Bacteria

A

1	경고하다	7	wipe out
2	~을 보내다	8	glow
3	단세포의	9	multiply
4	병, 질병	10	particularly
5	비명을 지르다	11	danger
6	신호	12	organism

B

1 He warned people of a water shortage.
2 What about the songs we wrote?
3 Animals can communicate with one another.

C

| 보기 | 의사소통하다 비명을 지르다 질병들 화학의

People commonly think that single-celled bacteria cannot communicate with each other. But bacteria talk to each other using chemical signals. Scientists are trying to figure out their language to cure some illnesses.

03 Bamboo Forest

A

1	기후	7	tropical
2	발효되다	8	shoot
3	똑같이	9	various
4	낚싯대	10	weapon
5	적응할 수 있는	11	bamboo
6	널리 퍼진, 광범위한	12	toxin

B

1 The festival is held from April to June.
2 Some people like coffee, while others don't.
3 The apples are made into jam.

C

| 보기 | 동물들 대나무 음식 다양한

Bamboo can live in diverse climates, from cold mountains to tropical regions. Many different animals use bamboo for food. Human also use it for food or making things.

04 Mr. Eat-It-All

A

1	금속	7	indulge
2	재주, 재능	8	impress
3	삼키다	9	celebrity
4	고무	10	consume
5	두꺼운	11	average
6	물건, 물체	12	over the years

B

1 You are too young to watch this movie.
2 Jackson was born with a talent for painting.
3 Kimchi is known as nutritious food.

C

| 보기 | 금속 비행기 피자 두꺼운

People eat strange foods but Michael Lotito can eat metal, glass or rubber. Doctors say he can do this because his stomach lining is twice as thick as normal. He has become famous for eating televisions, furniture, and even an airplane.

Unit 02

05 Heavenly Park

A

1 독특한
2 의식
3 규칙적인
4 행하다
5 황제
6 반원
7 marble
8 open to
9 rebuild
10 layer
11 destroy
12 lightning

B

1 She is one of the most famous writers in the world.
2 The movie will be open to the public this winter.
3 Ann's cat died from being struck by the falling tree.

C

| 보기 | 다시 세운 수천 신전 의식들

The Temple of Heaven Park in Beijing was used to perform ceremonies for Heaven. The park is big enough to have thousands of trees and room for riding bikes or flying kites. It has the Hall of Prayer for Good Harvests which was rebuilt once in 1890.

06 Power to Move Things

A

1 기술
2 장애가 있는
3 최근의
4 ~을 할 수 있게 하다
5 미래에
6 놀랄 것 없이, 당연히
7 thought
8 connect
9 device
10 experiment
11 transportation
12 magic

B

1 I am trying to figure out how to use the tool.
2 Ron is connecting the printer to the computer.
3 He has trouble sleeping at night.

C

| 보기 | 움직이다 생각들 마술 원숭이들

Telekinesis is thought to be magic but scientists are trying to get this power. Scientists have already connected the brains of some monkeys to special robotic arms. Humans can also use their thoughts to move a mouse cursor or other things.

07 Hopping About

A

1 군중, 무리
2 위험
3 모유
4 마스코트
5 비공식적인
6 주머니
7 bite
8 hop
9 pound
10 feed
11 marsupial
12 weigh

B

1 Who is the mascot for the New York Yankees?
2 Are you leaving China for good?
3 Lions live about 20 years in the wild.

C

| 보기 | 오직 야생 주머니 포도

Kangaroos are large animals which only live in Australia. They are marsupials so they have a pouch to carry their babies. Their diet is grass, leaves, and insects. They live for about 7 years in the wild.

08 The Secret Model

A

1 전 세계에
2 친척
3 주로
4 ~ 때문에
5 합치다
6 정렬하다
7 self-portrait
8 analyze
9 investigator
10 admire
11 record
12 insist

B

1 The singer poses for the camera.
2 Jane supported her theory with a lot of evidence.
3 The criminal insisted that he is innocent.

C

| 보기 | 친구 얼굴 당황스러운 엄마

Leonardo da Vinci painted the Mona Lisa but the model for it has puzzled people. Lillian Schwartz believed that Leonardo painted himself by comparing his face with Mona Lisa's. Another investigator Rina de Firenze insisted that Leonardo had painted his mother Caterina.

Unit 03

09 Patterns on the Ground

A

1 목적
2 계속되다
3 길, 노선
4 나선
5 삼각형
6 도마뱀
7 underneath
8 religious
9 pebble
10 drawing
11 interpretation
12 figure

B

1 Laura and her friend disappeared at the same time.
2 We are trying to find a route to the beach.
3 The books are piled up on my desk.

C

| 보기 | 제거된　　땅　　조각된　　물

The Nazca Lines of Peru are large drawings of animals and plants on the ground. They could have been guides to finding water or religious sites. Some were made with piles of stones or carved on the ground.

10 A Bug's Life

A

1 해로운
2 흰개미
3 물다
4 모기
5 작물
6 생산하다
7 candle
8 ladybug
9 usually
10 honeybee
11 pest
12 stick

B

1 What do you think of Japanese people?
2 She was scared by the thunder.
3 This course is very helpful to learn English.

C

| 보기 | 꿀　　음식　　작물　　유용한

Some insects are scary or bite but others are very useful to humans. Honeybees provide us with wax and honey and pollinate many flowers. Some insects help us produce food, but other insects are food.

11 Clear Beauty

A

1 허용하다
2 막다, 차단하다
3 역사
4 유용한
5 유연한
6 장식용의
7 cover
8 bead
9 entirely
10 material
11 lamp shade
12 mostly

B

1 My teacher doesn't allow me to eat fast food.
2 We take our parents' love for granted.
3 Ryan's shoes were covered with dust.

C

| 보기 | 유리　　작은 조각상들　　창문들　　인기 있는

Glass has been long used as containers for food or drink. It has also been used for stained glass or home windows. Today it is used for figurines, vases, eyeglasses, and computers.

12 Aliens Among Us?

A

1 천체 물리학자
2 생물 형태
3 외계인
4 차원
5 제안하다, 시사하다
6 비유
7 when it comes to
8 explain
9 famous
10 visible
11 at least
12 space scientist

B

1 You look like you have a problem.
2 I have no idea what you are talking about.
3 When it comes to music, my sister is a natural.

C

| 보기 | 방문하다　　차원　　물고기　　행성들

The space scientist Carl Sagan suggested there is life on other planets. He also thought extraterrestrials could hide from us in other dimensions. We cannot know them just like fish cannot know us.

Unit 04

13 Man Against Beast

A

1 끌다
2 흔한
3 창, 투창
4 투우
5 사례
6 검투사
7 weapon
8 sword
9 horn
10 stadium
11 handkerchief
12 compete

B

1 The soccer player is still battling with a knee injury.
2 The body of one man was found in the park.
3 The famous singer was injured by a car accident yesterday.

C

| 보기 | 해치다 역사 발 발견된

Bullfighting has a long history and continues today in Spain, Portugal, and Mexico. Fighting the bull on foot began in Spain in 1726. France and India have bull leaping. People jump over the bulls but don't harm them with weapons.

14 In the Dark

A

1 비밀
2 풍미, 맛
3 고객
4 주인
5 눈이 먼
6 종업원들
7 sense
8 taste
9 literally
10 delicious
11 distracting
12 focus on

B

1 There is no time at all.
2 You need to ask yourself.
3 If you focus on your family, your parents will be very happy.

C

| 보기 | 눈이 먼 맛 더 강한 빛들

Some restaurants in Europe called "In the Dark" have no lights. The staff are blind people and customers can experience the feeling of being blind. When people can't see, their senses like smell and taste get stronger.

15 Food Wrap

A

1 양치기
2 화약
3 양념장에 재워 두다
4 고수
5 폭발물
6 전통적인
7 vertically
8 ingredient
9 roast
10 chili pepper
11 miner
12 spice

B

1 The library is filled with books.
2 Daniel went out instead of staying at home.
3 My father has trouble plugging a USB device into the computer.

C

| 보기 | 이민자들 광부들 양치기 토르티야

A taco is a Mexican dish where various ingredients are wrapped in a tortilla. Tacos al pastor is one type of taco that came from immigrants to Mexico. The word taco comes from the language of Mexican silver miners.

16 The Strongest Living Thing

A

1 ~이긴 하지만
2 ~에 꼭 들어맞다
3 뿔
4 무서운, 겁 많은
5 묻다, 매장하다
6 해로운
7 creature
8 debris
9 mammal
10 sting
11 attract
12 predator

B

1 I'm not strong enough to risk it.
2 Rinda can't fit into some of her pants these days.
3 White Day is similar to Valentine's Day.

C

| 보기 | 마음을 끌다 뿔 들어 올리다 가장 강한

The rhinoceros beetle is the strongest animal in the world. This is because it can lift up to 850 times its own weight. The male beetles have horns. The beetles use them to lift things and to fight each other.

Unit 05

17 Natural Preservation

A

1	체육관	7	father–in–law
2	신전, 사원	8	public bath
3	화산	9	modern–day
4	유산	10	on the coast
5	건드리다	11	currently
6	파괴하다	12	damage

B

1 Be careful not to catch a cold.
2 This is because I didn't wash my hair this morning.
3 Henry's office was damaged by the earthquake.

C

| 보기 | 화산 | 건드리다 | 조심하는 | 해안

Herculaneum was buried by the same volcano that buried Pompeii. But it is better preserved. It is located on the coast and has possibly the house of Julius Caesar's father–in–law. People are still uncovering the ancient city but are careful about the modern city next to it.

18 Alex, the Talking Parrot

A

1	어휘	7	respond
2	지능이 있는, 똑똑한	8	mimicry
3	물건, 물체	9	parrot
4	식별하다	10	imitator
5	포유동물	11	prove
6	다채로운	12	wool

B

1 I don't believe that he is a criminal.
2 Snakes are capable of eating humans.
3 I had a long conversation with my brother yesterday.

C

| 보기 | 색깔 | 입증했다 | 흉내 | 어휘

Parrots can perform mimicry of sounds and words but can they really communicate? Dr. Irene Pepperberg and her parrot Alex proved that parrots could really talk. Alex had a vocabulary of 150 words and could understand what he was saying.

19 Parlor Game

A

1	표면	7	switch
2	속이 빈	8	rubber
3	라켓, 노	9	exciting
4	인기 있는, 대중적인	10	receive
5	정확히	11	form
6	국제적인	12	indoor

B

1 My grandmother adds some fruits in bulgogi to make it more delicious.
2 I used to live in Japan when I was young.
3 It looks similar to a cat, but it is much bigger.

C

| 보기 | 실내의 | 표면 | 다른 | 속이 빈

Table tennis is an indoor version of tennis. The first equipment for table tennis included golf balls but later the hollow plastic ball was made. Olympic table tennis has different rules to make the game more exciting.

20 Without a Trace

A

1	범인	7	nature
2	유형, 품종	8	pretend
3	장악하다	9	security
4	훔치다	10	thief
5	피해자	11	bank account
6	정보	12	identity

B

1 Blueberry juice can prevent you from getting bad eyesight.
2 She decided to find a way to help her friend.
3 Mia pretends to be an expert.

C

| 보기 | 보호하다 | 집 | 훔치다 | 신분

Thieves used to steal from people's homes but now they can do it using computers. Hackers steal personal information and identity thieves steal money from bank accounts. Companies sell software to protect against these cyber criminals.

Unit 06

21 A Change in Russia

A

1	계몽, 계몽 운동	7	medieval
2	정치적인	8	simplify
3	영토	9	adopt
4	지지하다	10	tax
5	사절단	11	structure
6	현대화하다, 근대화하다	12	robe

B

1 We are under the rule of a dictator.
2 Many people travel to India every year.
3 If you fail to buy the house, Oliver will try.

C

| 보기 | 힘 | 정치적인 | 현대화했다 | 확장

Peter the Great ruled Russia and modernized it while expanding its territory. Modernization was done by following Western European political structure and fashion. Expansion was done by fighting the Ottomans and Sweden.

22 Pets in the Future

A

1	적외선의	7	intelligence
2	센서	8	recognize
3	언젠가	9	artificial
4	재주	10	wonder
5	잘 훈련된	11	all the time
6	탐지	12	modern

B

1 He taught me to play chess.
2 I was able to learn about different cultures.
3 Did you take the dog for a walk?

C

| 보기 | 로봇 | 먹이를 주다 | 인공의 | 진짜의

Modern technology is creating new robot pets. These pets use cameras, sensors, and artificial intelligence to respond and do tricks. But you don't have to feed them or take them for walks.

23 Life in Motion

A

1	편집하다	7	complex
2	붙이다	8	appear
3	많은	9	audience
4	발명하다	10	projector
5	일어나다	11	development
6	(~의 결과로) 발생하다	12	location

B

1 A lot of festivals take place during summer.
2 Alice had to shoot a scene with 100 dogs.
3 Suddenly the patient began to cry.
Suddenly the patient began crying.

C

| 보기 | 필름 | 카메라 | 따로 떨어진 | 복잡한

Motion pictures became possible after the invention of the motion picture camera. Early cameras could only use one roll of film. Longer rolls of film and editing skills made movies longer and more complex.

24 Powerful Lizard

A

1	불행하게도	7	dreadful
2	화산의	8	breeding
3	민첩한	9	contribute to
4	비늘로 뒤덮인	10	poaching
5	지진	11	habitat
6	도마뱀	12	despite

B

1 Lucy can run as fast as her brother.
2 A monkey's arms are longer than its legs.
3 I would like to contribute to society.

C

| 보기 | 무엇이든 | 혼자의 | 멸종 위기에 처한 | 빠른

Komodo dragons are the world's heaviest lizards but they can run as fast as dogs. They live in the islands of Indonesia and can eat almost anything. But they are endangered. There are only 4,000 to 5,000 Komodo dragons in the wild.

Unit 07

25 Massive Planet

A

1	헬륨	7	discover
2	외관	8	hydrogen
3	궤도를 돌다	9	feature
4	태양계	10	surface
5	행성	11	ring
6	온도	12	spin

B

1 She is twice as fast as a normal athlete.
2 My home is quite far from the library.
3 This is why students learn history at school.

C

| 보기 | 지구 행성 위성들 태양

Jupiter is the largest planet in our solar system and is very cold because it is far from the Sun. It is a gas giant and has a Great Red Spot which is larger than the Earth. Galileo discovered four of the largest moons of Jupiter in 1610.

26 Vikings in Canada

A

1	고고학자	7	ancient
2	존재하다	8	skill
3	오랫동안	9	shocked
4	지방	10	common
5	마을	11	for now
6	훔치다	12	discover

B

1 Korea is ruled by law.
2 Hawaii is famous as a place for honeymoons.
3 I was shocked by his sudden death.

C

| 보기 | 유럽인들 발견된 바이킹 빈랜드

We commonly think that Europeans first came to America in 1492. But there is an old Viking story about a man who came in 1003. A Viking style village was found in 1960 in eastern Canada.

27 A Unique Animal

A

1	특징	7	nocturnal
2	오리너구리	8	beak
3	적	9	spur
4	기이한	10	lay
5	무기	11	hollow
6	손전등	12	mammal

B

1 William doesn't know how to use money wisely.
2 I have a lot in common with my brother.
3 The box can be used as a chair.

C

| 보기 | 포유류 밤 적 털

The duck-billed platypus is a mammal. It has fur and feeds milk to its babies. But it has a bill and lays eggs. It only lives in Australia and comes out only at night.

28 Artistic Vision

A

1	분수	7	a wide range of
2	현실	8	miscellaneous
3	간단한	9	random
4	정의	10	interpretation
5	넓히다	11	art exhibit
6	의자	12	view

B

1 I exercise every day in order to lose weight.
2 You can play the game online with random people.
3 Smartphones are used for a wide range of tasks.

C

| 보기 | 예술 진실 일상의 아름다움

Some think art has to be about truth or reality. But others say it's all about beauty or interpretation. Marcel Duchamp thought anything could be interpreted as art and displayed everyday objects as art.

Unit 08

29 Unknown Civilization

A

1 ~으로 가라앉다
2 파괴하다
3 화난, 기분 나쁜
4 역사적인
5 막연히, 대충
6 ~에 근거를 두다
7 make up
8 arrogance
9 philosophy
10 earthquake
11 illustrate
12 mighty

B

1 The boy was simply hungry for affection.
2 I was upset with what she said.
3 Faith is based on facts.

C

| 보기 | 미스터리 지지하다 가라앉았다 오직

Plato was the only one to write about Atlantis. He claimed that it was a rival to Athens but sank in the ocean. There are many ideas about where Atlantis was. Some think Plato just made it up to support his philosophy.

30 Blackbeard

A

1 영감을 주다
2 매복했다가 습격하다
3 싸움, 투쟁
4 두개골, 해골
5 공포에 떨게 하다
6 두려운
7 crew
8 cunning
9 merchant
10 braid
11 weave
12 booty

B

1 One of the most beautiful cities in the world is Seoul.
2 He appears to be nervous.
3 There is nothing like a good friend.

C

| 보기 | 턱수염 해적들 영감을 받은 머리카락

Blackbeard was one of the most dreaded pirates of all time. He carried knives and swords. He braided long black ribbons into his beard. The Disney film series Pirates of the Caribbean was inspired by him.

31 Live Longer

A

1 먹다
2 음식, 식습관
3 유전학, 유전적 특징
4 결론을 내리다
5 극도로
6 장수
7 concentrate on
8 similar to
9 healthy
10 experiment
11 trait
12 inherited

B

1 Mike has a reputation for being late.
2 Are you interested in music?
3 The driver is responsible for the accident.

C

| 보기 | 음식 낮은 고기 명성

Okinawa has a reputation for longevity. Scientists believe the key is their genetics, their clean environment, and also their diet. Their diet is extremely low in calories. Scientist proved the importance of this diet by conducting experiments on rats.

32 Special Printers

A

1 흔한
2 출력하다
3 도안을 그리다
4 기술
5 삼차원의, 입체적인
6 비싼
7 normal
8 object
9 create
10 mostly
11 big business
12 rare

B

1 Have you ever eaten a lobster?
2 What about reading a book at home without going outside?
3 I can buy whatever I want.

C

| 보기 | 바꾸다 프린터들 흔한 컵

Three dimensional printers can make whatever people want. They can really change a person's life. They are expensive now but many people think they will be common in the future.

Unit 09

33 Take a Shot

A

1	~의 가치가 있는	7	grab
2	~이라 간주하다	8	arc
3	돌아가다	9	foul
4	빛나가다	10	offensive
5	무시하다	11	rectangle
6	방어의, 수비의	12	take a shot

B

1 How did her mother get possession of the letter?
2 Once Justin starts to sing, he never stops.
3 He was awarded the Nobel Prize for literature.

C

| 보기 | 반칙 기본의 초 공격의

Beginners at basketball may not know some basic rules of the game. For example, there is a 3-second limit on a player inside the key. Also the offensive team has to move the ball past the mid-court line within 10 seconds.

34 The Austronesians

A

1	우연히	7	colonize
2	불가능한	8	mystery
3	외진, 외딴	9	language
4	화산	10	ancient
5	먼	11	distance
6	탐험가	12	be taken aback

B

1 He didn't bring an umbrella with him.
2 My mother put some salt in the tea by mistake.
3 I was taken aback by his anger.

C

| 보기 | 발견했다 유리 탐험가들 언어

The Austronesians were ancient explorers who traveled across the Pacific Ocean. They took their language to all the remote places they went to. It's still a bit mysterious how they found such faraway places by small canoes.

35 The Louvre

A

1	혼합체	7	open to
2	야심 있는	8	in progress
3	무명의	9	invasion
4	요새	10	masterpiece
5	전시품	11	originally
6	보관하다	12	largely

B

1 The prices range from five to one hundred dollars.
2 The palace is open to all people.
3 Jake wrote a controversial book.

C

| 보기 | 보관하다 국립의 왕족의 요새

The Louvre museum houses a large collection of art. The building was originally a fortress but later became a place to display the royal art collection. It became a national museum after the French Revolution.

36 Is Anybody Out There?

A

1	우주선	7	radio signal
2	신호, 징후	8	send
3	태양계	9	for a long time
4	행성	10	universe
5	아마	11	find out
6	무인 우주 탐사선	12	million

B

1 I will find out if his story is true.
2 Helen sent the box to the dormitory.
3 Is it possible to stay one more day?

C

| 보기 | 사진들 무선(통신) 물 우주

We send small spaceships called probes to take pictures of other planets. Those sent to Mars have not found any plants or animals but discovered water. A better way to look for life in space is to use radio signals.

Unit 10

37 The Smallest Things

A

1 전환하다, 바꾸다
2 세포벽
3 흡수하다
4 발견하다
5 현미경
6 눈에 보이는
7 stability
8 sunlight
9 extra
10 rectangular
11 protection
12 invention

B

1 Let's divide this cake into three.
2 He went to the bank to convert dollars into won.
3 Amy's client got a bad impression from her.

C

| 보기 | 현미경 차이점들 가장 작은 핵들

Cells are the smallest parts of all living things. But even they have several parts such as a nucleus. Plant cells and animal cells are similar but have several differences.

38 Music is My Life

A

1 성적인
2 (노래의) 가사
3 잡다한 일을 하다
4 (주의를) 딴 데로 돌리다
5 개선하다
6 진정시키다
7 entertainment
8 poorly
9 violent
10 on edge
11 disgusted
12 lastly

B

1 The actor has a bad influence on people.
2 Energize your life by starting each day with gratitude.
3 The smoke makes me sick.

C

| 보기 | 기분 개선하다 지루한 당황스러운

There are a number of ways that music affects moods. It entertains us when we're bored or comforts us when we are sad. Some music makes us tense and some lyrics make us feel embarrassed.

39 Giant Trees

A

1 흉터, 자국
2 새기다
3 붙이다
4 지구상에서
5 탄 것, 탄 면
6 구멍, 틈
7 strength
8 structure
9 spread
10 ring
11 root
12 frequent

B

1 Turtles can live up to 100 years.
2 Noah attached a photograph to his application form.
3 Mia's family depends on her.

C

| 보기 | 가장 큰 나무의 몸통 뿌리 수천

Redwoods are the largest trees on earth. They are only found in northern California and can be thousands of years old. Their root systems can attach to each other and give strength to the trees.

40 Extreme Stunts

A

1 정확히
2 파묻다, 매장하다
3 묘기
4 극도의
5 ~에 싫증난
6 살아 있는
7 astonishing
8 average
9 endurance
10 crazy
11 magician
12 coffin

B

1 I'm tired of staying at home.
2 Emma will set a new world record.
3 He held his breath for three minutes.

C

| 보기 | 음식 묘기 숨 거리

The American magician David Blaine lived inside a glass cube without food for 44 days in 2003. He began as a street magician and later got his own TV show. Amazingly, He can hold his breath for 17 minutes.

memo

memo

THIS IS READING

전면 개정판

중등부터 고등까지 **모든 독해의 확실한 해결책 !**

★ 실생활부터 전문적인 학술 분야까지 **다양한 소재의 지문 수록**

★ 서술형 내신 대비까지 제대로 준비하는 **문법 포인트 정리**

★ 지문 이해 확인 또 확인, **본문 연습 문제 + Review Test**

★ 정확하고도 빠른 지문 읽기 **직독직해 연습**

★ 원어민의 발음으로 듣는 전체 **지문 MP3** (QR 코드 & www.nexusbook.com)

★ 확실한 마무리 3단 콤보 **WORKBOOK**

MP3 바로가기

	초1	초2	초3	초4	초5	초6	중1	중2	중3	고1	고2	고3
Writing				공감 영문법+쓰기 1~2								
Writing						도전만점 중등내신 서술형 1~4						
Writing				영어일기 영작패턴 1-A, B · 2-A, B								
Writing				Smart Writing 1~2								
Reading					Reading 101 1~3							
Reading					Reading 공감 1~3							
Reading					This Is Reading Starter 1~3							
Reading						This Is Reading 전면 개정판 1~4						
Reading						원서 술술 읽는 Smart Reading Basic 1~2						
Reading									원서 술술 읽는 Smart Reading 1~2			
Reading									[특급 단기 특강] 구문독해 · 독해유형			
Reading										[앱솔루트 수능대비 영어독해 기출분석] 2019~2021학년도		
Listening						Listening 공감 1~3						
Listening					The Listening 1~4							
Listening						After School Listening 1~3						
Listening						도전! 만점 중학 영어듣기 모의고사 1~3						
Listening									만점 적중 수능 듣기 모의고사 20회 · 35회			
TEPS					NEW TEPS 입문편 실전 250+ 청해 · 문법 · 독해							
TEPS						NEW TEPS 기본편 실전 300+ 청해 · 문법 · 독해						
TEPS							NEW TEPS 실력편 실전 400+ 청해 · 문법 · 독해					
TEPS								NEW TEPS 마스터편 실전 500+ 청해 · 문법 · 독해				

일본어뱅크

자르는 선

NEW

일본어 기초와 말하기를 한 번에

다이스키 일본어 下

스피치 트레이닝 워크북

- 한자 연습
- 한일 스피치 연습
- Q&A 스피치 연습
- 가타카나 노트

동양북스

워크북의 구성과 활용 방법

한자 연습 | Kanji Drill

한자의 읽기와 뜻을 복습하기 위한 연습입니다. 본책에서 학습한 한자 단어와, 일본어 주요 한자의 읽는 법과 뜻을 써 보며 한자와 친해져 보세요.

한일 스피치 연습과 정답 | Speech Practice 1 & Answer

각 과의 중요한 포인트 문법과 표현들을 활용한 말하기 연습입니다. 본책에서 학습하지 않은 단어들은 힌트로 제시해 두었으며, 빈칸을 활용하여 작문 연습으로도 활용할 수 있습니다.

Q&A 스피치 연습 | Speech Practice 2

더욱 자연스러운 일본어 말하기를 위한 응용 연습입니다. 하나의 질문과 세 개의 대답 문장으로 구성되어 있습니다. 자연스럽게 바로 일본어로 말하고 답할 수 있도록 별도의 해석이 달려 있지 않습니다. 아래에 정리된 단어를 보면서 스스로 해석해 보세요. 또한 주어진 응용 단어들을 활용한 말하기 연습을 통해 말하기 실력을 쌓을 수 있습니다.

가타카나 노트 | Katakana Note

활용도가 높은 가타카나 단어들을 모아 두었습니다. 실생활에서 자주 쓰이는 가타카나 단어를 쓰면서 익혀 보세요.

일본어뱅크

NEW

일본어 기초와 말하기를 한 번에

다이스키 일본어

下

스피치 트레이닝 워크북

동양북스

한자 연습 Kanji Drill

| 01과 본책 10쪽 |

▶ **다음 한자의 읽는 법과 뜻을 빈칸에 써 보세요.**

예

英語 ＿えいご＿ ＿영어＿

1) 予定 ＿＿＿＿ ＿＿＿＿

2) 演劇 ＿＿＿＿ ＿＿＿＿

3) 宿題 ＿＿＿＿ ＿＿＿＿

4) 仕事 ＿＿＿＿ ＿＿＿＿

5) 番号 ＿＿＿＿ ＿＿＿＿

6) 電気 ＿＿＿＿ ＿＿＿＿

7) 留学 ＿＿＿＿ ＿＿＿＿

8) 番組 ＿＿＿＿ ＿＿＿＿

한일 스피치 연습 Speech Practice 1

▶ **다음 문장을 일본어로 말해 보세요.**

1) 지금 무엇을 하고 있습니까?

2) 편지를 쓰고 있습니다.

3) 텔레비전을 보고 있습니다.

4) 불을 켜 주세요.

5) 사진을 찍어 주세요.

6) 친구를 만나서 영화를 보고 커피를 마셨습니다.

7) 아침 일찍 일어나서 신문을 읽고 있습니다.

手紙てがみ 편지

···> 정답은 다음 페이지에서 확인하세요.

한일 스피치 연습 정답

▶ **정답을 확인하고, 정답 문장을 소리 내어 읽으며 복습해 보세요.**

1) 지금 무엇을 하고 있습니까?

今(いま) 何(なに)を して いますか。

2) 편지를 쓰고 있습니다.

手紙(てがみ)を 書(か)いて います。

3) 텔레비전을 보고 있습니다.

テレビを 見(み)て います。

4) 불을 켜 주세요.

電気(でんき)を つけて ください。

5) 사진을 찍어 주세요.

写真(しゃしん)を 撮(と)って ください。

6) 친구를 만나서 영화를 보고 커피를 마셨습니다.

友達(ともだち)に 会(あ)って 映画(えいが)を 見て コーヒーを 飲(の)みました。

7) 아침 일찍 일어나서 신문을 읽고 있습니다.

朝早(あさはや)く 起(お)きて 新聞(しんぶん)を 読(よ)んで います。

Q&A 스피치 연습 Speech Practice 2

▶ Q&A 형식으로 다양한 표현을 익히고, 자유롭게 말하기 연습을 해 보세요.

1

Q: 今(いま) 何(なに)を して いますか。 지금 무엇을 하고 있습니까?

A1: 公園(こうえん)で 写真(しゃしん)を 撮(と)って います。

A2: 音楽(おんがく)を 聞(き)きながら 運動(うんどう)を して います。

A3: 今(いま) 宿題(しゅくだい)を して います。

2

Q: どうして 日本語(にほんご)を 習(なら)って いるんですか。 왜 일본어를 배우고 있습니까?

A1: 日本(にほん)に 留学(りゅうがく)したいからです。

A2: ただ 趣味(しゅみ)で 勉強(べんきょう)して います。

A3: 日本(にほん)の アニメが 好(す)きなので、習(なら)って います。

ただ 단지 | ★仕事しごとで 必要ひつようだ 일에서 필요하다 | ドラマ 드라마 | 歌うた 노래 |
芸能人げいのうじん 연예인

한자 연습 Kanji Drill

| 02과 본책 24쪽 |

▶ **다음 한자의 읽는 법과 뜻을 빈칸에 써 보세요.**

예

英語　えいご　영어

1) 結婚 ________ ________

2) 眼鏡 ________ ________

3) 妻 ________ ________

4) 傘 ________ ________

5) 帽子 ________ ________

6) 雨 ________ ________

7) 風 ________ ________

8) 東京 ________ ________

한일 스피치 연습 Speech Practice 1

▶ 다음 문장을 일본어로 말해 보세요.

1) 어디에 살고 있습니까?

2) 인천에 살고 있습니다.

3) 결혼했습니까?

4) 네, 결혼했습니다.

5) 비가 많이 오네요.

6) 우산을 갖고 있습니까?

7) 안경을 쓰고 있습니다.

···> 정답은 다음 페이지에서 확인하세요.

한일 스피치 연습 정답

▶ **정답을 확인하고, 정답 문장을 소리 내어 읽으며 복습해 보세요.**

1) 어디에 살고 있습니까?

どこに 住(す)んで いますか。

2) 인천에 살고 있습니다.

インチョンに 住んで います。

3) 결혼했습니까?

結婚(けっこん)して いますか。

4) 네, 결혼했습니다.

はい、結婚して います。

5) 비가 많이 오네요.

雨(あめ)が たくさん 降(ふ)って いますね。

6) 우산을 갖고 있습니까?

傘(かさ)を 持(も)って いますか。

7) 안경을 쓰고 있습니다.

眼鏡(めがね)を かけて います。

▶ **Q&A 형식으로 다양한 표현을 익히고, 자유롭게 말하기 연습을 해 보세요.**

1

Q: どこに 住(す)んで いますか。 어디에 살고 있습니까?

A1: 東京(とうきょう)に 住んで います。

A2: 駅(えき)から 歩(ある)いて 10分(じゅっぷん)の 所(ところ)です。

A3: 福岡(ふくおか)に 住んで います。
福岡は 韓国(かんこく)から 飛行機(ひこうき)で 1時間(いちじかん)ぐらいです。

2

Q: 雨(あめ)が たくさん 降(ふ)って いますね。 비가 많이 오네요.

A1: そうですね。 傘(かさ)を 持(も)って いますか。

A2: でも、 午後(ごご)から 晴(は)れるそうです。

A3: それに 風(かぜ)も 強(つよ)いですね。
私(わたし)の 車(くるま)で 行(い)きましょう。

でも 하지만, 그렇지만 | **晴はれる** 맑다, 개다 | [동사원형] + **そうです** ~라고 합니다 | **それに** 게다가 | **強つよい** 세다, 강하다 | ★ **車くるまで** 차로 | **自転車じてんしゃで** 자전거로 | **電車でんしゃで** 전철로 | **止やむ** 그치다, 멈추다

한자 연습 Kanji Drill

| 03과 본책 36쪽 |

▶ **다음 한자의 읽는 법과 뜻을 빈칸에 써 보세요.**

예

英語	えいご	영어
1) 家賃		
2) 所		
3) 時間		
4) 以上		
5) 風呂		
6) 一日中		
7) 妹		
8) 弟		

한일 스피치 연습 Speech Practice 1

▶ **다음 문장을 일본어로 말해 보세요.**

1) 여기에서 사진을 찍어도 됩니까?

2) 네, 찍어도 됩니다.

3) 여기에서 담배를 피워도 됩니까?

4) 아니요, 피우면 안 됩니다.

5) 하루 종일 잠만 자고 있습니다.

6) 술을 마시고 운전해서는 안 됩니다.

7) 여기에서 사진을 찍으면 안 됩니다.

···> 정답은 다음 페이지에서 확인하세요.

한일 스피치 연습 정답

▶ **정답을 확인하고, 정답 문장을 소리 내어 읽으며 복습해 보세요.**

1) 여기에서 사진을 찍어도 됩니까?

ここで 写真(しゃしん)を 撮(と)っても いいですか。

2) 네, 찍어도 됩니다.

はい、撮っても いいです。

3) 여기에서 담배를 피워도 됩니까?

ここで たばこを 吸(す)っても いいですか。

4) 아니요, 피우면 안 됩니다.

いいえ、吸っては いけません。

5) 하루 종일 잠만 자고 있습니다.

一日中(いちにちじゅう) 寝(ね)てばかり います。

6) 술을 마시고 운전해서는 안 됩니다.

お酒(さけ)を 飲(の)んで 運転(うんてん)しては いけません。

7) 여기에서 사진을 찍으면 안 됩니다.

ここで 写真を 撮っては いけません。

Q&A 스피치 연습

Speech Practice 2

▶ **Q&A 형식으로 다양한 표현을 익히고, 자유롭게 말하기 연습을 해 보세요.**

1

Q: ここで 写真(しゃしん)を 撮(と)っても いいですか。 여기에서 사진을 찍어도 됩니까?

A1: ええ、いいですよ。

A2: はい、撮っても かまいません。

A3: いいえ、撮っては いけません。

気(き)を つけて ください。

2

Q: あの 人(ひと)は 運動(うんどう)して 10キロも やせましたよ。

저 사람은 운동해서 10키로나 빠졌습니다.

A1: えー、うらやましいです。

A2: えー、ほんとうに？

私(わたし)も 今日(きょう)から ダイエットします。

A3: 私も 運動したいんですが、時間(じかん)が あまり ありません。

気(き)を つけて ください 주의하세요. 조심하세요 | ダイエット 다이어트 |

★ 窓(まど)を 開(あ)ける 창문을 열다 | 入(はい)る 들어가다 | 水泳(すいえい)を する 수영을 하다 |

ジムに 通(かよ)う 체육관(짐)에 다니다

한자 연습

Kanji Drill

| 04과 본책 48쪽 |

▶ **다음 한자의 읽는 법과 뜻을 빈칸에 써 보세요.**

예

英語 えいご 영어

1) 小説 ____________ ____________

2) 表現 ____________ ____________

3) 美術館 ____________ ____________

4) 電話 ____________ ____________

5) 会話 ____________ ____________

6) 飛行機 ____________ ____________

7) 最初 ____________ ____________

8) 手紙 ____________ ____________

▶ **다음 문장을 일본어로 말해 보세요.**

1) 일본에 간 적이 있습니까?

2) 네, 한 번 있습니다.

3) 아니요. 한 번도 없습니다.

4) 어디에 가는 편이 좋습니까?

5) 공원에 가는 편이 좋습니다.

6) 편지보다 전화를 하는 편이 좋습니다.

7) 일본어를 배운 지 얼마 안 됐습니다.

···> 정답은 다음 페이지에서 확인하세요.

한일 스피치 연습 정답

▶ **정답을 확인하고, 정답 문장을 소리 내어 읽으며 복습해 보세요.**

1) 일본에 간 적이 있습니까?

日本(にほん)へ 行(い)った ことが ありますか。

2) 네, 한 번 있습니다.

はい、一度(いちど) あります。

3) 아니요. 한 번도 없습니다.

いいえ、一度も ありません。

4) 어디에 가는 편이 좋습니까?

どこへ 行った 方(ほう)が いいですか。

5) 공원에 가는 편이 좋습니다.

公園(こうえん)へ 行った 方が いいです。

6) 편지보다 전화를 하는 편이 좋습니다.

手紙(てがみ)より 電話(でんわ)を した 方が いいです。

7) 일본어를 배운 지 얼마 안 됐습니다.

日本語(にほんご)を 習(なら)った ばかりです。

▶ **Q&A 형식으로 다양한 표현을 익히고, 자유롭게 말하기 연습을 해 보세요.**

1

Q: 日本(にほん)へ 行(い)った ことが ありますか。 일본에 간 적이 있습니까?

A1: はい、一度(いちど) あります。

A2: いいえ、一度も ありません。

A3: はい、2年前(にねんまえ)に 行った ことが あります。

食(た)べ物(もの)も おいしかったし、景色(けしき)も きれいでした。

2

Q: 調子(ちょうし)が 悪(わる)いです。 컨디션이 안 좋습니다.

どうしたら いいですか。 어떻게 하는게 좋습니까?

A1: ゆっくり 休(やす)んだ 方(ほう)が いいです。

A2: 病院(びょういん)へ 行った 方が いいです。

A3: 薬(くすり)を 飲(の)んだ 方が いいです。

景色けしき 경치 | 薬くすりを 飲のむ 약을 먹다 | ★ 中国ちゅうごく 중국 | アメリカ 미국 | フランス 프랑스 | 早はやく 家うちへ 帰かえる 일찍 집에 돌아가다

한자 연습 Kanji Drill

| 05과 본책 62쪽 |

▶ **다음 한자의 읽는 법과 뜻을 빈칸에 써 보세요.**

예

	읽는 법	뜻
英語	えいご	영어

1) 香水 ________ ________

2) 便利 ________ ________

3) 行動 ________ ________

4) 約束 ________ ________

5) 感動 ________ ________

6) 同僚 ________ ________

7) 朝食 ________ ________

8) 恋人 ________ ________

한일 스피치 연습 Speech Practice 1

▶ **다음 문장을 일본어로 말해 보세요.**

1) 한가할 때는 무엇을 합니까?

____

2) 산에 가기도 하고 친구와 영화를 보기도 합니다.

____

3) 내일 후지산에 갑니다.

____

4) 그렇습니까? 내일은 비가 올지도 모릅니다.

____

5) '친구'라는 영화를 본 적이 있습니까?

____

6) 내일은 눈이 올지도 모릅니다.

____

7) 집 앞을 왔다갔다합니다.

____

雪ゆき 눈

···> 정답은 다음 페이지에서 확인하세요.

한일 스피치 연습 정답

▶ **정답을 확인하고, 정답 문장을 소리 내어 읽으며 복습해 보세요.**

1) 한가할 때는 무엇을 합니까?

暇(ひま)な 時(とき)は 何(なに)を しますか。

2) 산에 가기도 하고 친구와 영화를 보기도 합니다.

山(やま)へ 行(い)ったり 友達(ともだち)と 映画(えいが)を 見(み)たり します。

3) 내일 후지산에 갑니다.

明日(あした) 富士山(ふじさん)へ 行きます。

4) 그렇습니까? 내일은 비가 올지도 모릅니다.

そうですか。明日は 雨(あめ)が 降(ふ)るかも しれません。

5) '친구'라는 영화를 본 적이 있습니까?

「友達」と いう 映画を 見た ことが ありますか。

6) 내일은 눈이 올지도 모릅니다.

明日は 雪(ゆき)が 降るかも しれません。

7) 집 앞을 왔다 갔다 합니다.

家(うち)の 前(まえ)を 行ったり 来(き)たり します。

Q&A 스피치 연습 Speech Practice 2

▶ **Q&A 형식으로 다양한 표현을 익히고, 자유롭게 말하기 연습을 해 보세요.**

1

Q: 暇(ひま)な 時(とき)は 何(なに)を しますか。 한가할 때는 무엇을 합니까?

A1: 本(ほん)を 読(よ)んだり 友達(ともだち)と 遊(あそ)んだり します。

A2: 掃除(そうじ)を したり 音楽(おんがく)を 聞(き)いたり します。

A3: 前(まえ)は 映画(えいが)を 見(み)たり ドライブを したり しましたが、
最近(さいきん)は 忙(いそが)しくて…。

2

Q: 明日(あした)から 旅行(りょこう)ですが、 雨(あめ)が 降(ふ)るかも しれません。
내일부터 여행인데, 비가 올지도 모릅니다.
どう しますか。 어떻게 할 거예요?

A1: 私(わたし)は かまいません。

A2: だいじょうぶです。
私は 雨が 降っても 行(い)きます。

A3: そうですか。じゃ、キャンセルした 方(ほう)が いいかも しれませんね。

掃除そうじ 청소 | ドライブ 드라이브 | かまいません 상관없습니다 | だいじょうぶだ 괜찮다 |
キャンセル 취소 | ★ 雪ゆきが 降ふる 눈이 내리다 | 台風たいふうが 来くる 태풍이 오다

한자 연습 Kanji Drill

| 06과 본책 78쪽 |

▶ **다음 한자의 읽는 법과 뜻을 빈칸에 써 보세요.**

예
英語 えいご 영어

1) 運転 ______ ______

2) 卒業式 ______ ______

3) 未満 ______ ______

4) 出口 ______ ______

5) 愛 ______ ______

6) 出張 ______ ______

7) 場所 ______ ______

8) 公園 ______ ______

한일 스피치 연습 Speech Practice 1

▶ **다음 문장을 일본어로 말해 보세요.**

1) 영어를 할 수 있습니까?

____

2) 네, 조금 할 수 있습니다.

____

3) 아니요. 전혀 못합니다.

____

4) 히라가나를 읽을 수 있습니까?

____

5) 중학생은 이 영화를 볼 수 없습니다.

____

6) 내일은 올 수 있습니까?

____

7) 피아노를 칠 수 있습니까?

____

英語えいご 영어 | ぜんぜん 전혀 | 中学生ちゅうがくせい 중학생 | ピアノを 弾ひく 피아노를 치다

··› 정답은 다음 페이지에서 확인하세요.

한말 스피치 연습 정답

▶ **정답을 확인하고, 정답 문장을 소리 내어 읽으며 복습해 보세요.**

1) 영어를 할 수 있습니까?

英語が できますか。

2) 네, 조금 할 수 있습니다.

はい、すこし できます。

3) 아니요. 전혀 못합니다.

いいえ、ぜんぜん できません。

4) 히라가나를 읽을 수 있습니까?

ひらがなが 読めますか。

5) 중학생은 이 영화를 볼 수 없습니다.

中学生は この 映画が 見られません。

6) 내일은 올 수 있습니까?

明日は 来られますか。

7) 피아노를 칠 수 있습니까?

ピアノが 弾けますか。

Q&A 스피치 연습 Speech Practice 2

▶ Q&A 형식으로 다양한 표현을 익히고, 자유롭게 말하기 연습을 해 보세요.

1

Q: 英語が できますか。 영어를 할 수 있습니까?

A1: はい、すこし できます。

A2: いいえ、ぜんぜん できません。

A3: 英語は 得意です。
学生の ころ、習いました。

2

Q: 好きな 人に 好きだと 言えますか。
좋아하는 사람에게 좋아한다고 말할 수 있습니까?

A1: はい、もちろん 言えます。

A2: はずかしくて 言えません。

A3: 時に よって 違います。

得意とくいだ 자신 있다 | はずかしい 부끄럽다 | ~頃ころ ~때 | もちろん 물론 |
時ときに よって 違ちがいます 때에 따라 다릅니다 | ★ 中国語ちゅうごくご 중국어 | 水泳すいえい 수영 |
ゴルフ 골프 | スキー 스키 | 運転うんてん 운전 | フランス料理りょうり 프랑스 요리

한자 연습 Kanji Drill

| 07과 본책 92쪽 |

▶ **다음 한자의 읽는 법과 뜻을 빈칸에 써 보세요.**

예

	읽는 법	뜻
英語	えいご	영어

1) 試験 ________ ________

2) 出勤 ________ ________

3) 制服 ________ ________

4) 就職 ________ ________

5) 授業 ________ ________

6) 夜 ________ ________

7) 仕事 ________ ________

8) お金 ________ ________

한일 스피치 연습 Speech Practice 1

▶ 다음 문장을 일본어로 말해 보세요.

1) 여기에서 담배를 피우지 마세요.

2) 여기에서 사진을 찍지 마세요.

3) 내일도 오지 않으면 안 됩니까?

4) 아니요, 내일은 오지 않아도 됩니다.

5) 내일은 휴일이라서 학교에 가지 않아도 됩니다.

6) 아침밥을 먹지 않고 회사에 갔습니다.

7) 밤늦게 택시를 타지 않는 편이 좋습니다.

たばこ 담배 | 夜よる 遅おそく 밤늦게 | タクシー 택시

···> 정답은 다음 페이지에서 확인하세요.

한말 스피치 연습 정답

▶ **정답을 확인하고, 정답 문장을 소리 내어 읽으며 복습해 보세요.**

1) 여기에서 담배를 피우지 마세요.

ここで たばこを 吸(す)わないで ください。

2) 여기에서 사진을 찍지 마세요.

ここで 写真(しゃしん)を 撮(と)らないで ください。

3) 내일도 오지 않으면 안 됩니까?

明日(あした)も 来(こ)なければ なりませんか。

4) 아니요, 내일은 오지 않아도 됩니다.

いいえ、明日(あした)は 来(こ)なくても いいです。

5) 내일은 휴일이라서 학교에 가지 않아도 됩니다.

明日(あした)は 休(やす)みなので 学校(がっこう)へ 行(い)かなくても いいです。

6) 아침밥을 먹지 않고 회사에 갔습니다.

朝(あさ)ごはんを 食(た)べないで 会社(かいしゃ)へ 行(い)きました。

7) 밤늦게 택시를 타지 않는 편이 좋습니다.

夜遅(よるおそ)く タクシーに 乗(の)らない 方(ほう)が いいです。

Q&A 스피치 연습 Speech Practice 2

▶ **Q&A 형식으로 다양한 표현을 익히고, 자유롭게 말하기 연습을 해 보세요.**

1

Q: ここで 写真(しゃしん)を 撮(と)らないで ください。 여기에서 사진을 찍지 마세요.

A1: はい、わかりました。

A2: あ、そうですか。知(し)りませんでした。

A3: じゃ、あそこでは 撮(と)っても いいですか。

2

Q: 土曜日(どようび)も 会社(かいしゃ)へ 行(い)きますか。 토요일도 회사에 갑니까?

A1: はい、土曜日(どようび)も 行(い)かなければ なりません。

A2: いいえ、土曜日(どようび)は 行(い)かなくても いいです。

A3: はい、最近(さいきん) 会社(かいしゃ)が 忙(いそが)しくて 土曜日(どようび)も
出勤(しゅっきん)しなければ なりません。

撮とる 찍다 | 知しりませんでした 몰랐습니다 | ★ たばこを 吸すう 담배를 피우다 | 泳およぐ 헤엄치다 |
電話でんわする 전화하다 | 待まつ 기다리다 | 週末しゅうまつ 주말 | 仕事しごとを する 일을 하다 |
バイトに 行いく 아르바이트를 하러 가다 | 出張しゅっちょうに 行いく 출장을 가다

한자 연습 Kanji Drill

| 08과 본책 108쪽 |

▶ **다음 한자의 읽는 법과 뜻을 빈칸에 써 보세요.**

예
英語 えいご 영어

1) 天気予報 ________ ________

2) 道路 ________ ________

3) 準備 ________ ________

4) 残業 ________ ________

5) 物価 ________ ________

6) 地下鉄 ________ ________

7) 週末 ________ ________

8) 性格 ________ ________

한일 스피치 연습 Speech Practice 1

▶ **다음 문장을 일본어로 말해 보세요.**

1) 뉴스에 의하면 내일은 비가 내린다고 합니다.

2) 일기예보에 의하면 내일은 눈이 온다고 합니다.

3) 이 요리는 맛있어 보이네요.

4) 다나카 씨는 성실해 보입니다.

5) 아오키 씨는 성격이 좋은 것 같습니다.

6) 친구와 영화를 보려고 합니다.

7) 내년 3월에 일본에 가려고 합니다.

青木あおき 아오키(일본 성씨) | 性格せいかくが いい 성격이 좋다

···> 정답은 다음 페이지에서 확인하세요.

한일 스피치 연습 정답

▶ **정답을 확인하고, 정답 문장을 소리 내어 읽으며 복습해 보세요.**

1) 뉴스에 의하면 내일은 비가 내린다고 합니다.

ニュースに よると 明日(あした)は 雨(あめ)が 降(ふ)るそうです。

2) 일기예보에 의하면 내일은 눈이 온다고 합니다.

天気予報(てんきよほう)に よると 明日は 雪(ゆき)が 降(ふ)るそうです。

3) 이 요리는 맛있어 보이네요.

この 料理(りょうり)は おいしそうですね。

4) 다나카 씨는 성실해 보입니다.

田中(たなか)さんは まじめそうです。

5) 아오키 씨는 성격이 좋은 것 같습니다.

青木(あおき)さんは 性格(せいかく)が よさそうです。

6) 친구와 영화를 보려고 합니다.

友達(ともだち)と 映画(えいが)を 見(み)ようと 思(おも)います。

7) 내년 3월에 일본에 가려고 합니다.

来年(らいねん)の 3月(さんがつ)に 日本(にほん)へ 行(い)こうと 思います。

Q&A 스피치 연습 Speech Practice 2

▶ Q&A 형식으로 다양한 표현을 익히고, 자유롭게 말하기 연습을 해 보세요.

Q: 今日の 天気は どうでしょうか。 오늘의 날씨는 어떨까요?

A1: 天気予報に よると 雨が 降るそうです。

A2: 朝は 雨ですが、午後から 晴れるそうです。

A3: 一日中 雪が 降るそうです。

今日は 車より 電車に 乗った 方が いいです。

2

Q: 会社が 終わってから 何を する つもりですか。
회사가 끝나고 나서 무엇을 할 생각입니까?

A1: 友達と 一緒に 食事を しようと 思います。

A2: 会社の 同僚と 演劇を 見ようと 思います。

A3: ひさしぶりに 大学の 先輩に 会おうと 思います。

天気予報てんきよほう 일기예보 | ～そうです ～라고 합니다 | 晴はれる 맑다, 개다 | 同僚どうりょう 동료 | 演劇えんげき 연극 | ひさしぶりに 오랜만에 | 先輩せんぱい 선배 | ★ 台風たいふうが 来くる 태풍이 오다 | 観光かんこうを する 관광을 하다 | 飲のみ会かいに 行いく 회식(술자리)에 가다

한자 연습 Kanji Drill

| 09과 본책 126쪽 |

▶ **다음 한자의 읽는 법과 뜻을 빈칸에 써 보세요.**

예

英語	えいご	영어
1) 夢		
2) 事故		
3) 天使		
4) 論文		
5) 風邪		
6) 調子		
7) 人気		
8) 行動		

한일 스피치 연습

Speech Practice 1

▶ **다음 문장을 일본어로 말해 보세요.**

1) 마치 꿈과 같습니다. (～ようだ)

____

2) 마치 인형 같습니다. (～みたいだ)

____

3) 여성스럽고 귀엽습니다. (～らしい)

____

4) 저 학생에게는 좀 어려운 것 같습니다. (～ようだ)

____

5) 주말은 비가 올 것 같습니다. (～らしい)

____

6) 다음 주부터 추워질 것 같습니다. (～らしい)

____

7) 일본의 물가는 비싼 것 같습니다. (～ようだ)

____

人形にんぎょう 인형

···> 정답은 다음 페이지에서 확인하세요.

한알 스피치 연습 정답

▶ **정답을 확인하고, 정답 문장을 소리 내어 읽으며 복습해 보세요.**

1) 마치 꿈과 같습니다. (～ようだ)

まるで 夢(ゆめ)の ようです。

2) 마치 인형 같습니다. (～みたいだ)

まるで 人形(にんぎょう)みたいです。

3) 여성스럽고 귀엽습니다. (～らしい)

女(おんな)らしくて かわいいです。

4) 저 학생에게는 좀 어려운 것 같습니다. (～ようだ)

あの 学生(がくせい)には ちょっと 難(むずか)しいようです。

5) 주말은 비가 올 것 같습니다. (～らしい)

週末(しゅうまつ)は 雨(あめ)が 降(ふ)るらしいです。

6) 다음 주부터 추워질 것 같습니다. (～らしい)

来週(らいしゅう)から 寒(さむ)く なるらしいです。

7) 일본의 물가는 비싼 것 같습니다. (～ようだ)

日本(にほん)の 物価(ぶっか)は 高(たか)いようです。

Q&A 스피치 연습

Speech Practice 2

▶ Q&A 형식으로 다양한 표현을 익히고, 자유롭게 말하기 연습을 해 보세요.

1

Q: この かばん、かわいいですね。이 가방, 귀엽네요.

A1: そうですね。まるで いちごの ようですね。

A2: 本当(ほんとう)に かわいいですね。まるで 花(はな)みたいです。

A3: ええ、デザインも きれいだし、
値段(ねだん)も 安(やす)いから 人気(にんき)が あるらしいですよ。

2

Q: 井上(いのうえ)さんは どんな 人(ひと)ですか。이노우에 씨는 어떤 사람입니까?

A1: とても やさしいです。まるで お姉(ねえ)さんみたいです。

A2: とても きれいです。まるで 天使(てんし)の ようです。

A3: 女(おんな)らしくて 歌(うた)が とても 上手(じょうず)です。
まるで 歌手(かしゅ)みたいです。

いちご 딸기 | デザイン 디자인 | 値段ねだん 가격 | ★ ぬいぐるみ 봉제 인형 | おもちゃ 장난감
大人気だいにんきだ 인기가 많다 | 明あかるい 밝다 | 厳きびしい 엄하다 | お日様ひさま 해님 |
先生せんせい 선생님

| 10과 본책 140쪽 |

▶ **다음 한자의 읽는 법과 뜻을 빈칸에 써 보세요.**

예

英語 えいご 영어

1) 道 ______ ______

2) 交番 ______ ______

3) 連絡 ______ ______

4) 本当 ______ ______

5) 交差点 ______ ______

6) 親切 ______ ______

7) 大学 ______ ______

8) 本屋 ______ ______

▶ **다음 문장을 일본어로 말해 보세요.**

1) 저, 실례합니다. 백화점은 어디입니까?

2) 이 길을 똑바로 가면 바로 있습니다. (～と)

3) 슈퍼에 가고 싶은데, 어떻게 가면 됩니까? (～ば)

4) 저 서점을 지나서 오른쪽으로 도세요.

5) 내일 비가 온다면 가지 않겠습니다. (～たら)

6) 편의점이라면 저기에 있습니다만...... (～なら)

7) 일본어는 공부하면 할수록 재미있습니다.

本屋ほんや 서점

···> 정답은 다음 페이지에서 확인하세요.

한일 스피치 연습 정답

▶ **정답을 확인하고, 정답 문장을 소리 내어 읽으며 복습해 보세요.**

1) 저, 실례합니다. 백화점은 어디입니까?

あの、すみません。デパートは どこですか。

2) 이 길을 똑바로 가면 바로 있습니다. (～と)

この 道を まっすぐ 行くと すぐ あります。

3) 슈퍼에 가고 싶은데, 어떻게 가면 됩니까? (～ば)

スーパーへ 行きたいんですが、どうやって 行けば いいですか。

4) 저 서점을 지나서 오른쪽으로 도세요.

あの 本屋を すぎて 右に 曲がって ください。

5) 내일 비가 온다면 가지 않겠습니다. (～たら)

明日 雨が 降ったら 行きません。

6) 편의점이라면 저기에 있습니다만...... (～なら)

コンビニなら あそこに ありますが……。

7) 일본어는 공부하면 할수록 재미있습니다.

日本語は 勉強すれば するほど おもしろいです。

Q&A 스피치 연습　Speech Practice 2

▶ **Q&A 형식으로 다양한 표현을 익히고, 자유롭게 말하기 연습을 해 보세요.**

1

Q: ここから どうやって 行(い)けば いいですか。 여기에서 어떻게 가면 됩니까?

A1: この 道(みち)を まっすぐ 行(い)って ください。

A2: あそこの 銀行(ぎんこう)、見(み)えますか。

あそこの 銀行の すぐ 前(まえ)ですよ。

A3: この 道を まっすぐ 行くと 交差点(こうさてん)に 出(で)ます。

そこを 右(みぎ)に 曲(ま)がって ください。

2

Q: スーパーは どこに ありますか。 슈퍼는 어디에 있습니까?

A1: スーパーは あそこです。

A2: この 道を まっすぐ 行くと すぐ あります。

A3: あの 本屋(ほんや)を すぎて すぐ 右に 曲がって ください。

もし わからなかったら 電話(でんわ)して ください。

銀行ぎんこう 은행 | 交差点こうさてんに 出でる 사거리가 나오다 | ★ 美術館びじゅつかん 미술관 | 交番こうばん 파출소 | 学校がっこう 학교 | 左ひだりに 曲まがる 왼쪽으로 돌다 | 右みぎに 曲まがる 오른쪽으로 돌다

한자 연습 Kanji Drill

| 11과 본책 156쪽 |

▶ **다음 한자의 읽는 법과 뜻을 빈칸에 써 보세요.**

예

英語	えいご	영어
1) 意味		
2) 花束		
3) 先輩		
4) 説明		
5) 提出		
6) お菓子		
7) 辞書		
8) 書類		

한일 스피치 연습 Speech Practice 1

▶ **다음 문장을 일본어로 말해 보세요.**

1) 펜을 빌려주지 않겠습니까?

2) 이 가방은 아오키 씨가 사 주었습니다.

3) 이것은 남자 친구가 사 주었습니다. (～て もらう)

4) 나는 친구에게 과자를 사 주었습니다.

5) 선생님은 나에게 일본어를 가르쳐 주셨습니다. (～て いただく)

6) 내일은 7시까지 오지 않으면 안 됩니다.

7) 집 앞에 차가 세워져 있습니다. (止める)

··> 정답은 다음 페이지에서 확인하세요.

한알 스피치 연습 정답

▶ **정답을 확인하고, 정답 문장을 소리 내어 읽으며 복습해 보세요.**

1) 펜을 빌려주지 않겠습니까?

ペンを 貸(か)して くれませんか。

2) 이 가방은 아오키 씨가 사 주었습니다.

この かばんは 青木(あおき)さんが 買(か)って くれました。

3) 이것은 남자 친구가 사 주었습니다. (～て もらう)

これは 彼氏(かれし)に 買(か)って もらいました。

4) 나는 친구에게 과자를 사 주었습니다.

私(わたし)は 友達(ともだち)に お菓子(かし)を 買(か)って あげました。

5) 선생님은 나에게 일본어를 가르쳐 주셨습니다. (～て いただく)

私(わたし)は 先生(せんせい)に 日本語(にほんご)を 教(おし)えて いただきました。

6) 내일은 7시까지 오지 않으면 안 됩니다.

明日(あした)は 7時(しちじ)までに 来(こ)なければ なりません。

7) 집 앞에 차가 세워져 있습니다. (止める)

家(いえ)の 前(まえ)に 車(くるま)が 止(と)めて あります。

Q&A 스피치 연습 Speech Practice 2

▶ Q&A 형식으로 다양한 표현을 익히고, 자유롭게 말하기 연습을 해 보세요.

1

Q: 傘(かさ)を 貸(か)して くれませんか。 우산을 빌려주지 않겠습니까?

A1: はい、どうぞ。

A2: すみません。この 傘、私(わたし)のじゃないんですが……。

A3: 傘は これしか ありませんが、
どこまで 行(い)きますか。私の 傘で 行(い)きましょう。

2

Q: あの、ドアが 開(あ)いて いますが……。 저, 문이 열려 있습니다만......

A1: え、本当(ほんとう)ですか。 ありがとうございます。

A2: すみませんが、ドアを 閉(し)めて もらえますか。

A3: あ！私(わたし)が 開(あ)けて 外(そと)に 出(で)ました。
なんだか へんな においが したので……。

これしか 이것밖에 | 閉しめる 닫다 | ～て もらえますか ~해 주겠어요? | 外そとに 出でる 밖에 나오다 | なんだか 어쩐지 | へんな においが する 이상한 냄새가 나다 | ★ 窓まどを 開あける 창문을 열다 | 風かぜが 強つよい 바람이 세다 | カーテンが 開ひらく 커튼이 열리다 /カーテンを 閉しめる 커튼을 치다

한자 연습 Kanji Drill

| 12과 본책 172쪽 |

▶ **다음 한자의 읽는 법과 뜻을 빈칸에 써 보세요.**

예
英語 えいご 영어

1) 顔色 ______ ______

2) 病気 ______ ______

3) 文句 ______ ______

4) 単語 ______ ______

5) 廊下 ______ ______

6) 注意 ______ ______

7) 宿題 ______ ______

8) 上司 ______ ______

▶ **다음 문장을 일본어로 말해 보세요.**

1) 무슨 일이에요?

2) 버스 안에서 옆 사람한테 발을 밟혔습니다.

3) 비를 맞아서 옷이 젖어 버렸습니다.

4) 오늘 선생님께 칭찬받았습니다.

5) 이 빌딩은 5년 전에 지어졌습니다.

6) 엄마에게 혼났습니다.

7) 내일부터 아침 일찍 일어나도록 하겠습니다.

服ふく 옷

···> 정답은 다음 페이지에서 확인하세요.

한일 스피치 연습 정답

▶ **정답을 확인하고, 정답 문장을 소리 내어 읽으며 복습해 보세요.**

1) 무슨 일이에요?

どうしたんですか。

2) 버스 안에서 옆 사람한테 발을 밟혔습니다.

バスの 中(なか)で 隣(となり)の 人(ひと)に 足(あし)を 踏(ふ)まれました。

3) 비를 맞아서 옷이 젖어 버렸습니다.

雨(あめ)に 降(ふ)られて 服(ふく)が 濡(ぬ)れて しまいました。

4) 오늘 선생님께 칭찬받았습니다.

今日(きょう) 先生(せんせい)に ほめられました。

5) 이 빌딩은 5년 전에 지어졌습니다.

この ビルは 5年前(ごねんまえ)に 建(た)てられました。

6) 엄마에게 혼났습니다.

母(はは)に 叱(しか)られました。

7) 내일부터 아침 일찍 일어나도록 하겠습니다.

明日(あした)から 朝(あさ) 早(はや)く 起(お)きる ことに します。

Q&A 스피치 연습

Speech Practice 2

▶ **Q&A 형식으로 다양한 표현을 익히고, 자유롭게 말하기 연습을 해 보세요.**

1

Q: どうしたんですか。 무슨 일이에요? (왜 그래요?)

A1: 道(みち)が わかりません。

A2: 財布(さいふ)を 落(お)としたんです。

A3: 雨(あめ)に 降(ふ)られて 服(ふく)が 濡(ぬ)れて しまいました。

2

Q: 今日(きょう)、会社(かいしゃ)に 遅(おく)れましたか。 오늘 회사에 늦었어요?

A1: はい、昨日(きのう) 徹夜(てつや)したんです。

A2: 毎日(まいにち) 8時(はちじ)に 家(いえ)を 出(で)ますが、

今日は 8時に 起(お)きて しまいました。

A3: 朝寝坊(あさねぼう)して 遅(おく)れて しまいました。

明日(あした)からは 早(はや)く 出勤(しゅっきん)する ように します。

落おとす 떨어뜨리다 | 服ふくが 濡ぬれる 옷이 젖다 | 徹夜てつや 밤샘, 철야 | 朝寝坊あさねぼう 늦잠 |

★ お金かね 돈 | 水みずを こぼす 물을 쏟다 | 残業ざんぎょう 야근 | 発表はっぴょうの 準備じゅんび 발표 준비

한자 연습 Kanji Drill

| 13과 본책 188쪽 |

▶ **다음 한자의 읽는 법과 뜻을 빈칸에 써 보세요.**

예
英語 えいご 영어

1) 日記 ________ ________

2) 掃除 ________ ________

3) 発表 ________ ________

4) 例文 ________ ________

5) 運動場 ________ ________

6) 外国語 ________ ________

7) 漢字 ________ ________

8) 先輩 ________ ________

한일 스피치 연습 Speech Practice 1

▶ 다음 문장을 일본어로 말해 보세요.

1) 친구를 기다리게 한 적이 있습니까?

2) 네, 회의 때문에 2시간이나 기다리게 했습니다.

3) 무슨 일이에요? 안색이 좋지 않군요.

4) 상사에게 일을 부탁받아서 (어쩔 수 없이) 야근을 했습니다.

5) 엄마는 나에게 방 청소를 시켰습니다.

6) 매일 한자를 (어쩔 수 없이) 외웁니다.

7) 더 공부해 와!

~も ~이나 | もっと 더, 좀 더 | こい 와라(来(く)る의 명령형)

··> 정답은 다음 페이지에서 확인하세요.

한일 스피치 연습 정답

▶ **정답을 확인하고, 정답 문장을 소리 내어 읽으며 복습해 보세요.**

1) 친구를 기다리게 한 적이 있습니까?

友達(ともだち)を 待(ま)たせた ことが ありますか。

2) 네, 회의 때문에 2시간이나 기다리게 했습니다.

はい、会議(かいぎ)のため、２時間(にじかん)も 待(ま)たせました。

3) 무슨 일이에요? 안색이 좋지 않군요.

どうしたんですか。顔色(かおいろ)が 悪(わる)いですね。

4) 상사에게 일을 부탁받아서 (어쩔 수 없이) 야근을 했습니다.

上司(じょうし)に 仕事(しごと)を 頼(たの)まれて 残業(ざんぎょう)を させられました。

5) 엄마는 나에게 방 청소를 시켰습니다.

母(はは)は 私(わたし)に 部屋(へや)の 掃除(そうじ)を させました。

6) 매일 한자를 (어쩔 수 없이) 외웁니다.

毎日(まいにち) 漢字(かんじ)を 覚(おぼ)えさせられます。

7) 더 공부해 와!

もっと 勉強(べんきょう)して こい。

Q&A 스피치 연습

Speech Practice 2

▶ Q&A 형식으로 다양한 표현을 익히고, 자유롭게 말하기 연습을 해 보세요.

1

Q: 昨日(きのう)は 上司(じょうし)に 残業(ざんぎょう)を させられました。
어제는 상사에 의해 (어쩔 수 없이) 야근을 했습니다.

A1: えー 会社勤(かいしゃづと)めは たいへんですね。

A2: それで、約束(やくそく)も キャンセルしたんですか。

A3: 上司に 頼(たの)まれた 仕事(しごと)は 断(ことわ)りにくいですね。

2

Q: 学校(がっこう)で 日本語(にほんご)を どう 教(おし)えて いますか。
학교에서 일본어를 어떻게 가르치고 있습니까?

A1: 毎日(まいにち) 漢字(かんじ)の テストを 行(おこな)います。

A2: 毎日 会話(かいわ)の 表現(ひょうげん)を 覚(おぼ)えさせます。

A3: ノートに 漢字を 書(か)かせたり、例文(れいぶん)を 覚えさせたり します。

会社勤かいしゃづとめ 회사 생활 | 約束やくそく 약속 | キャンセル 캔슬, 취소 | 頼たのまれる 부탁받다 | 断ことわりにくい 거절하기 어렵다 | 行おこなう 시행하다 | 表現ひょうげん 표현 | 覚おぼえさせる 암기시키다 | 例文れいぶん 예문 | ★ パーティー 파티 | 文章ぶんしょう 문장 | 文法ぶんぽう 문법

한자 연습 Kanji Drill

| 14과 본책 204쪽 |

▶ **다음 한자의 읽는 법과 뜻을 빈칸에 써 보세요.**

예 英語	えいご	영어
1) 商事		
2) 予約		
3) 利用		
4) 当日		
5) 案内		
6) 注文		
7) お宅		
8) 家庭		

한일 스피치 연습

Speech Practice 1

▶ **다음 문장을 일본어로 말해 보세요.**

1) 여보세요. 기무라 씨 댁입니까?

2) 저, 다나카라고 합니다만, 요코 씨를 부탁합니다.

3) 잠시만 기다려 주십시오.

4) 오래 기다리셨습니다.

5) 언제 일본에 가십니까?

6) 은행원이십니까?

7) 음료는 무엇으로 하시겠습니까?

洋子ようこ 요코(사람 이름) | **少々**しょうしょう 잠시 | **銀行員**ぎんこういん 은행원 |

~になさいますか ~로 하시겠습니까?

···> 정답은 다음 페이지에서 확인하세요.

한말 스피치 연습 정답

▶ **정답을 확인하고, 정답 문장을 소리 내어 읽으며 복습해 보세요.**

1) 여보세요. 기무라 씨 댁입니까?

もしもし、木村(きむら)さんの お宅(たく)ですか。

2) 저, 다나카라고 합니다만, 요코 씨를 부탁합니다.

あの、田中(たなか)と 申(もう)しますが、洋子(ようこ)さんを お願(ねが)いします。

3) 잠시만 기다려 주십시오.

少々(しょうしょう) お待(ま)ちください。

4) 오래 기다리셨습니다.

お待(ま)たせいたしました。

5) 언제 일본에 가십니까?

いつ 日本(にほん)へ いらっしゃいますか。

6) 은행원이십니까?

銀行員(ぎんこういん)で いらっしゃいますか。

7) 음료는 무엇으로 하시겠습니까?

お飲(の)み物(もの)は 何(なに)に なさいますか。

Q&A 스피치 연습

Speech Practice 2

▶ Q&A 형식으로 다양한 표현을 익히고, 자유롭게 말하기 연습을 해 보세요.

1

Q: 田中(たなか)さん(は) いらっしゃいますか。 다나카 씨(는) 계십니까?

A1: 今(いま) 外出中(がいしゅつちゅう)ですが……。

A2: はい、少々(しょうしょう) お待(ま)ちください。

A3: 今 ちょっと 席(せき)を 外(はず)して おります。

2

Q: お昼(ひる)、一緒(いっしょ)に いかがですか。 점심, 같이 어떠십니까?

A1: いいですね。どこで 食(た)べましょうか。

A2: あ、今日(きょう)は ちょっと……。先約(せんやく)が あるんです。

A3: あ～、1時(いちじ)から 会議(かいぎ)なので、もう 食(た)べて しまいました。

外出中がいしゅつちゅう 외출 중 | 席せきを 外はずして おります 자리를 비웠습니다 | お昼ひる 점심 |
いかがですか 어떠십니까? | 先約せんやく 선약 | もう 이미, 벌써 |
★ 休やすみ 휴가 | 会議かいぎ 회의 | 出張しゅっちょう 출장

한자 연습 Kanji Drill

| 15과 본책 216쪽 |

▶ **다음 한자의 읽는 법과 뜻을 빈칸에 써 보세요.**

예

英語	えいご	영어

1) 今回 ______ ______

2) 出版 ______ ______

3) 興味 ______ ______

4) 評判 ______ ______

5) 最高 ______ ______

6) 最後 ______ ______

7) 説明 ______ ______

8) 連絡 ______ ______

한일 스피치 연습 Speech Practice 1

▶ 다음 문장을 일본어로 말해 보세요.

1) 제가 들어 드리겠습니다.

2) 제가 모셔다 드리겠습니다.

3) 설명해 드리겠습니다. (～させて いただく)

4) 전화드리겠습니다.

5) 몇 시쯤 돌아오십니까?

6) 여기에 주소를 써 주십시오.

7) 일본어로 메일을 쓰셨습니까?

何時なんじごろ 몇 시 쯤 | こちら 여기, 이쪽 | メールを 書かく 메일을 쓰다

···> 정답은 다음 페이지에서 확인하세요.

한일 스피치 연습 정답

▶ **정답을 확인하고, 정답 문장을 소리 내어 읽으며 복습해 보세요.**

1) 제가 들어 드리겠습니다.

私(わたし)が お持(も)ちします。

2) 제가 모셔다 드리겠습니다.

私が お送(おく)りします。

3) 설명해 드리겠습니다. (~させて いただく)

説明(せつめい)させて いただきます。

4) 전화드리겠습니다.

お電話(でんわ)いたします。

5) 몇 시쯤 돌아오십니까?

何時(なんじ)ごろ お帰(かえ)りに なりますか。

6) 여기에 주소를 써 주십시오.

こちらに ご住所(じゅうしょ)を お書(か)きください。

7) 일본어로 메일을 쓰셨습니까?

日本語(にほんご)で メールを お書(か)きに なりましたか。

Q&A 스피치 연습 Speech Practice 2

▶ Q&A 형식으로 다양한 표현을 익히고, 자유롭게 말하기 연습을 해 보세요.

1

Q: すみません。ハンバーガーと コーラを ください。
저기요. 햄버거와 콜라를 주세요.

A1: はい、少々(しょうしょう) お待(ま)ちください。

A2: はい、お持(も)ち帰(かえ)りですか。
ここで お召(め)し上(あ)がりですか。

A3: はい、かしこまりました。
すぐに お持(も)ちいたします。

2

Q: お会計(かいけい)は どう なさいますか。 계산은 어떻게 하시겠습니까?

A1: 一緒(いっしょ)に お願(ねが)いします。

A2: べつべつに お願(ねが)いします。

A3: カードで お願(ねが)いします。

お持もち帰かえり 테이크 아웃, 가지고 감 | ここで お召めし上あがりですか 여기에서 드시나요? |
会計かいけい 계산 | カード 카드 | べつべつに 따로따로 | ★ すしセット 초밥 세트 |
1人前いちにんまえ 1인분 | 包装ほうそう 포장 | お支払しはらい 지불 | 現金げんきん 현금

가타카나 노트

1

ドラマ どらま 드라마	ドラマ			
ネクタイ ねくたい 넥타이	ネクタイ			
ノート のーと 노트	ノート			
パーティー ぱーてぃー 파티	パーティー			
パイナップル ぱいなっぷる 파인애플	パイナップル			
バス ばす 버스	バス			
バナナ ばなな 바나나	バナナ			

2

パン ぱん 빵	パン			
ピアス ぴあす 귀고리	ピアス			
ピアノ ぴあの 피아노	ピアノ			
ビール びーる 맥주	ビール			
ブラウス ぶらうす 블라우스	ブラウス			
プレゼント ぷれぜんと 선물	プレゼント			
プロジェクト ぷろじぇくと 프로젝트	プロジェクト			

3

ベルト べると 벨트	ベルト			
ペン ぺん 펜	ペン			
ホテル ほてる 호텔	ホテル			
メール めーる 메일	メール			
メニュー めにゅー 메뉴	メニュー			
レストラン れすとらん 레스토랑	レストラン			
ワンピース わんぴーす 원피스	ワンピース			

4

アイデア あいであ 아이디어	アイデア			
アルバム あるばむ 앨범	アルバム			
ウィルス うぃるす 바이러스	ウィルス			
エレベーター えれべーたー 엘리베이터	エレベーター			
オイル おいる 오일	オイル			
カーテン かーてん 커튼	カーテン			
ガイド がいど 가이드	ガイド			

5

カフェ かふぇ 카페	カフェ			
ガム がむ 껌	ガム			
カラー からー 컬러	カラー			
ガラス がらす 유리	ガラス			
カレンダー かれんだー 캘린더	カレンダー			
カロリー かろりー 칼로리	カロリー			
キャンディー きゃんでぃー 캔디	キャンディー			

6

クーポン くーぽん 쿠폰	クーポン			
コピー こぴー 복사	コピー			
コンサート こんさーと 콘서트	コンサート			
コンピューター こんぴゅーたー 컴퓨터	コンピューター			
シャツ しゃつ 셔츠	シャツ			
シャワー しゃわー 샤워	シャワー			
ジュース じゅーす 주스	ジュース			

가타카나 노트

7

スイーツ すいーつ 단것	スイーツ			
スケジュール すけじゅーる 스케줄	スケジュール			
セール せーる 세일	セール			
ゼミ ぜみ 세미나	ゼミ			
ダイエット だいえっと 다이어트	ダイエット			
タイヤ たいや 타이어	タイヤ			
チーム ちーむ 팀	チーム			

8

チャンネル ちゃんねる 채널	チャンネル			
ティッシュ てぃっしゅ 티슈	ティッシュ			
データ でーた 데이터	データ			
ドライブ どらいぶ 드라이브	ドライブ			
ネックレス ねっくれす 목걸이	ネックレス			
バイト ばいと 아르바이트	バイト			
パスポート ぱすぽーと 여권	パスポート			

9

パソコン ぱそこん 컴퓨터	パソコン			
パフェ ぱふぇ 파르페	パフェ			
ビジネス びじねす 비즈니스	ビジネス			
ファイル ふぁいる 파일	ファイル			
プール ぷーる 풀장	プール			
ボタン ぼたん 버튼	ボタン			
レポート れぽーと 리포트	レポート			

Memo

Memo

일본어뱅크

NEW

다이스키 일본어 

스피치 트레이닝 워크북

- **한자 연습** | 한자의 읽기와 뜻을 써 보며 한자와 친해지기
- **한일 스피치 연습** | 포인트 문법을 활용한 말하기 연습과 정답
- **Q&A 스피치 연습** | 더욱 자연스러운 일본어 말하기를 위한 응용 연습
- **가타카나 노트** | 활용도가 높은 가타카나 쓰기 연습